LA CUISINE
LIBANAISE

LA CUISINE LIBANAISE

SUSAN WARD

KÖNEMANN

Copyright © 1992 Quitet Publishing Limited.
Tous droits d'adaptation et de reproduction totale ou partielle,
pour quelque usage et par quelque moyen que ce soit, réservés pour tous pays.

Ce livre a été conçu et réalisé par Quited Publishing Limited
6 Blundell Street, London N7 9BH

Directeur artistique : Richard Dewing
Designer : Chris Dymond
Responsable du projet : William Hemsley
Photographe : Trevor Wood
Photographies du Liban : Alistair Duncan/Middle Eaast Archive

Titre original : *Lebanese Cooking*

© 1998 pour l'édition française
Könemann Verlagsgesellschaft mbH
Bonner Str. 126. D- 50968 Köln

Traduction : Christine Chareyre, Paris
Transcription des mots arabes : Anne-Marie Lugenbuhl, Paris
Réalisation : Cosima de Boissoudy, Paris
Impression et reliure : Sing Cheong Printing Co. Ltd.
Imprimé à Hong Kong

ISBN 3-89508-901-X

SOMMAIRE

INTRODUCTION
UN PAYS, UNE CUISINE

Mon Liban… était une étoffe multicolore. Levantine de cœur, Beyrouth était raffinée, plurilingue, ouverte, avec un zeste de malice paillarde. Au nord, Tripoli… était sunnite, fanatique, austère. Tyr et Sidon sommeillaient dans le sable, au bord de la mer. Les habitants de la plaine étaient différents de ceux de la montagne, à un kilomètre de distance.

Ainsi écrivait Albion Ross, journaliste américain au Liban, en 1957, lorsqu'éclatèrent pour la première fois les conflits qui ravageraient le pays. La guerre civile et l'escalade du conflit israélo-arabe ont dévasté ce qui fut jadis l'orgueil de la Méditerranée orientale — une démocratie dans une nation de minorités réunies sur des terres prospères d'une superficie plus petite que celle de l'Ile-de-France. Mais la couture de cet « habit aux maintes couleurs » ne tenait pas éternellement. La grande tolérance de la nation artificielle, séparée de la Syrie sous le mandat français de 1860-1866 et rendue indépendante en 1946, se révéla un mythe auquel la population du pays avait du mal à croire.

Ces quelques lignes sur la tragédie qui a ruiné l'un des pays les plus beaux, les plus productifs et les plus fasci-

Lever de soleil sur les bateaux dans le port de Tyr

Dans la plaine de la Bekaa, un fermier laboure selon des méthodes traditionnelles.

nombreux réfugiés palestiniens. Les deux groupes ont toujours entretenu un climat de méfiance l'un vis-à-vis de l'autre. Légèrement plus réduite, la population chrétienne est dominée par les Maronites, secte ancienne unie à Rome depuis le XIIIᵉ siècle. En raison de leur prospérité et de leurs liens avec la France, les Maronites ont longtemps constitué le groupe au niveau social le plus élevé, cultivant le raffinement inspiré de la culture française. L'influence qu'ils ont exercée explique sans doute que le français soit presque aussi répandu que l'arabe, la langue officielle, et leur sens aigu des affaires que Beyrouth ait été surnommée le « Paris du Moyen-Orient ». La capitale attira nombre d'étrangers — aventuriers, investisseurs, touristes et émigrés européens — au XXᵉ siècle. Signe de cette ouverture sur le reste du monde qui caractérisa la vie du pays avant la guerre civile, les messes se déroulaient dans les deux principales églises catholiques de la ville non seulement en français et en arabe, mais aussi en anglais, italien, allemand, espagnol et parfois même en polonais.

Parmi les autres minorités importantes, figurent également les druzes, secte religieuse secrète aux exploits guerriers légendaires, les Grecs orthodoxes et catholiques, les Arméniens et les Syriens, ainsi qu'une petite communauté de juifs.

Dans le domaine culinaire, la tradition musulmane arabe rend compte de certaines coutumes : la survivance du mélange d'huile d'olive et de jus de citron relevé d'herbes ou d'épices comme assaisonnement et marinade, la préférence pour le yaourt plutôt que pour la crème fraîche d'origine française, la prévalence de l'agneau parmi les plats de viande et l'absence de porc, la diversité et la richesse des *meze*, l'importance des graines dans les préparations salées et sucrées…

À l'influence maronite française doivent être attribués l'apport du vin sur la table et du vinaigre dans la cuisine, l'introduction de la culture de nouveaux légumes, la consommation de la truffe de Syrie dans les grands restaurants de Beyrouth ainsi que l'emploi des épices orientales, adapté aux palais occidentaux.

Les deux principaux courants ont accueilli de tout temps les contributions des pays voisins et autres communautés ethniques : les dattes des Irakiens et les préparations à base de fruits secs des Juifs et des Palestiniens, les plats de bœuf et les ragoûts de viande des Arméniens, les pépins de grenade, le sumac des Iraniens et des Syriens, et les pâtes italiennes.

nants du Moyen-Orient peuvent paraître hors de propos dans un livre de cuisine. Pourtant, faire abstraction des divisions qui l'ont marqué serait méconnaître la diversité et la richesse de l'héritage du Liban, qui se traduisent dans son répertoire culinaire. Depuis deux millénaires avant J.-C., ce pays accueille des envahisseurs, des réfugiés, des colonisateurs, des négociants. Aujourd'hui, il prétend être le seul pays du monde dont la population se compose entièrement de minorités, bien que se considérant toutes d'origine arabe. Ces divisions, dues à des divergences religieuses, se reflètent dans les influences diverses participant à l'élaboration de la cuisine libanaise.

L'importante population musulmane se répartit de manière presque égale entre les Sunnites et les Shiites, ces derniers comptant parmi eux depuis vingt ans de

Avant la guerre, le Liban était le pays agricole le plus prospère de la Méditerranée orientale, après Israël. Géographiquement, on peut l'assimiler à une petite Californie. Une plaine côtière chaude, propice à la culture des agrumes et des bananes, se prolonge par des collines couvertes de vignobles et de vergers d'abricotiers, de pruniers et de pêchers ; des affleurements de sol pauvre favorisent la culture des oliviers et des figuiers, l'élevage des chèvres et des moutons. Les précipitations tombant sur les hautes montagnes, derrière, alimentent le paradis agraire de la plaine de la Bekaa, nichée entre deux chaînes de montagnes, la seconde formant la frontière avec la Syrie.

Le fleuve Litani, ses affluents et ses canaux sont à l'origine de la prospérité de la Bekaa, « terre de lait et de miel ». C'est là que sont récoltés les plus beaux fruits et légumes, que vit le bétail le plus gras. Les vignes surplombant la vallée poussent sur les plants apportés par les jésuites il y a deux cents ans.

Le long des rives rocheuses du Bardoni, affluent du Litani, s'étend la station de Zahlé. Les touristes, ainsi que les habitants de Beyrouth et de la côte, affluaient auparavant le week-end vers ses cafés et restaurants de pour savourer les *meze*, déguster le café, le vin et l'arak, fumer le traditionnel *narghilé*, ou pipe à eau. Pendant de longues années, les tables étaient vides et les patrons plus soucieux de survie que de bien-être. Dans Beyrouth même, les chambres d'hôtels restaient libres et les piscines à sec. Le rideau s'était baissé sur le célèbre Casino du Liban, à 25 km de la côte — sur ses spectacles, ses jeux, son restaurant et son théâtre. Seuls demeuraient les habitants dont l'existence était liée au destin du pays.

Mais l'optimisme n'a jamais quitté la population libanaise, qui semble animée d'une énergie nouvelle. Une solution durable au conflit israélo-arabe signifierait une chance supplémentaire de voir renaître un état viable, en dépit des compromis qui s'avéreraient nécessaires entre les différentes communautés. Les offices du tourisme du gouvernement libanais sont déjà à pied d'œuvre et les activités reprennent. Les Occidentaux font progressivement connaissance avec les délices et les charmes de la cuisine libanaise chez eux, dans les restaurants, les supermarchés et auprès des traiteurs spécialisés. Cette découverte n'est peut-être que le prélude à une autre, plus gratifiante encore, qui aura lieu un jour sur la terre méditerranéenne baignée de soleil d'où sont issues les recettes qui suivent.

LES REPAS LIBANAIS

Fermiers et bergers commencent leur journée dès le lever du soleil, tandis que les boutiques et les bureaux ouvrent généralement à 8 h 30. Le petit déjeuner, repas le plus léger de la journée, se compose de *labné* (fromage au yaourt) et de *khoubz* (pain arabe). Olives, dattes, fruits frais, miel et noix diverses figurent également sur la table. Les Libanais prennent parfois un bol de *foul medames* (petites fèves), ou des œufs, frits ou durs.

Le déjeuner, qui a lieu entre 13 h et 15 h, est parfois le repas principal de la journée à la campagne, mais il consiste le plus souvent en un assortiment de *meze* accompagnés de *khoubz* frais. À Beyrouth et dans les grandes villes, les snack-bars, nombreux comme en Occident, accueillent les employés de bureaux.

Le dîner, repas principal pour la plupart des Libanais, se prend en famille, entre 20 h et 23 h. Il se compose d'un choix de *meze*, dont le nombre et la qualité dépendent de l'occasion et des moyens de la famille. Il s'agit souvent de viande grillée, de volaille, ou de poisson sur la côte, servis avec du boulghour — la céréale traditionnelle — ou, moins souvent, du riz.

Dans les classes moyennes à Beyrouth, ainsi que dans les grandes communautés chrétiennes, il n'existe pas de ségrégation entre hommes et femmes pendant les repas, contrairement aux autres pays arabes. Les femmes libanaises vont au restaurant, et elles reçoivent à la maison des invités des deux sexes.

À Beyrouth, avant les conflits, les restaurants internationaux accueillaient une clientèle libanaise ou étrangère. Après avoir été pratiquement désertés pendant longtemps, le savoir-faire des professionnels ne demande qu'à être remis en valeur.

Certains cafés et restaurants (*mat'am*) libanais de style arabe sont spécialisés dans des préparations, comme l'agneau grillé au barbecue (*mat'am lahem meshoui*) ou les poissons et coquillages (*mat'am samak*) ; des snacks ne servant pas de boissons alcoolisées proposent le *shawarma* (*mah'em açir*), des pâtisseries (*helawayat shami*), tandis que des cafés offrent des *meze* et de l'arak (*kas arak wi mezzé*).

Fonte des neiges sur les montagnes dominant un village et des terrasses cultivées.

TRÉSORS DES
TRAITEURS LIBANAIS

En Occident, les traiteurs spécialisés dans la cuisine du Moyen-Orient proposent principalement des denrées de base et des plats préparés de style libanais, ou fabriqués par des Libanais. Ce phénomène est en partie lié au rôle joué de tout temps par les Libanais en tant qu'hommes d'affaires, et en partie à la grande renommée dont jouit la cuisine libanaise. Les influences diverses qui ont façonné le pays ont enrichi son répertoire culinaire d'un charme cosmopolite, tant dans la préparation que dans la présentation. Même si nombre de plats se retrouvent dans les pays voisins, notamment en Syrie et en Jordanie, et avec quelques variantes en Égypte et en Turquie, la cuisine du Moyen-Orient que les Occidentaux apprécient chez eux porte généralement la marque du goût et du raffinement libanais.

Imaginez que vous vous trouvez dans une épicerie typique du Moyen-Orient. Vous découvrez des herbes et des épices séchées, certaines conditionnées par d'importantes sociétés, d'autres emballées dans des sacs en plastique portant des étiquettes manuscrites, par les membres d'une petite entreprise familiale. Sur des étagères sont rangés légumes secs et céréales, connus ou inconnus — fèves brunes, blanches et rouges ; lentilles vertes, brunes et rouges ; paquets et boîtes de boulghour, de semoule de blé (couscous d'Afrique du Nord et *moghrabiyé* levantin), *frik* (blé complet) égyptien et syrien. Plus loin sont offertes des bouteilles d'huile d'olive, d'eau de rose et de fleur d'oranger, ainsi que des sirops produits par une diversité de fabricants, auxquels les cuisinières restent généralement fidèles.

D'autres étagères débordent d'herbes, de fruits et de légumes frais — à moins que ces produits n'occupent une place au centre de la boutique. Parmi les légumes figurent des fèves fraîches épluchées (*foul akhdar*), des gombos (*bamia*), des petites courgettes vert clair en forme de poires (*kousa*), des petites aubergines violettes ou rayées de plusieurs couleurs (*bazinjane*), ainsi que des olives vertes, fraîches. Des plateaux ou des sacs sont remplis de fruits secs — figues (*tin*), dattes (*tamar* ou *baï-leh*), abricots (*mishmish*), ainsi que diverses variétés de

graines. La passion des Arabes pour les graines atteint son paroxysme au Liban ; aux variétés habituelles, non salées, destinées à la cuisine — pistaches (*fosto*), pignons de pin (*sonoba*), amandes (*lohz*), noix de cajou, ainsi que noix (*en'gamaël*) — s'ajoutent celles pour l'accompagnement des boissons : pistaches salées, parfumées au citron, ou entrant dans la confection des biscuits (*fosto illiyé*), deux ou trois espèces d'amandes salées (*lohz*), noix de cajou et cacahuètes (*foul soudani*). Les pépins de melon se grignotent également, tandis que les graines de sésame (*soum soum*), nature ou grillées, participent à la préparation du *tahini*, du pain et des entremets.

Deux ou trois vitrines réfrigérées prennent également place dans la boutique. Celles situées au fond contiennent des fromages locaux et des yaourts de fabrication artisanale, de la viande hachée et épicée pour les *kebabs*, ainsi qu'un choix de *meze* et de salades : *sambousek* et *fatayer* (feuilletés garnis de viande, d'épinards ou de fromage), des préparations à base d'agneau et de boulghour, fourrées d'un mélange d'agneau et de pignons de pin, dénommées *kibbé bi shamiyé*, de l'*houmous* et du *taboulé* (salade de blé concassé). Sur le comptoir s'alignent les bocaux de fromage à l'huile (*shanklish*) ; au-dessous, de grands pots en terre contiennent des olives vertes ou noires, certaines dans des marinades relevées de piments et de morceaux de citron, d'autres dans de l'eau noire.

La vitrine donnant sur la rue renferme les joyaux de la collection, une sélection appétissante de pâtisseries individuelles, décorées de pistaches vert vif. Elles attirent les yeux des passants qu'elles entraînent dans cette grotte gastronomique d'Aladin. On y découvre des variétés de *mam'oul*, pâtisseries rondes et ovales à base de dattes, pistaches ou noix hachées, des pâtisseries feuilletées confectionnées avec de la pâte *filo*, tels les *asabiyé* — cigares fourrés de noix de cajou hachées — ou les *bohadj*, garnis de pistaches et autres graines mélangées. La place d'honneur est réservée aux célèbres *baklava* — gâteaux en forme de losanges, arrosés d'un sirop parfumé, remplis de pistaches ou de noix de cajou.

Vendeur de légumes ambulant sur le marché de Beyrouth.

Pour les inconditionnels de la cuisine du Moyen-Orient, franchir le seuil d'une telle boutique ne se réduit pas à « faire ses courses ». Comme les Français, les habitants du Levant portent un grand intérêt à la cuisine : ils vivent pour manger plutôt qu'ils ne mangent pour vivre. Les achats passent nécessairement par des discussions sur la qualité des ingrédients, les méthodes de cuisson et les recettes, le tout émaillé de bavardages et échanges de nouvelles. Les boutiques jouent un rôle essentiel dans la cohésion de la com-

munauté — peut-être davantage encore dans une métropole occidentale, où les liens avec la tradition se maintiennent plus difficilement.

Pour l'initié occidental, plaisir, curiosité et fascination sont inextricablement liés. Il y a toujours une nouveauté à expérimenter une denrée encore inconnue, une pâtisserie présentée différemment, un produit jamais remarqué. Il faut oser se renseigner, acheter et essayer, mais en général l'audace est largement récompensée.

INGRÉDIENTS ET SPÉCIALITÉS

Typiques des pays du Moyen-Orient, les ingrédients et denrées de base répertoriés ci-dessous s'utilisent plus particulièrement dans la cuisine libanaise. On les trouve chez les traiteurs spécialisés et dans les épiceries arabes. Ils sont identifiés par leur nom arabe, souvent le plus connu des Occidentaux.

Arak : alcool distillé à partir du jus de raisin et parfumé à l'anis. Équivalant à l'*ouzo* grec, il est légèrement moins fort et moins sirupeux.

Basturma : filet de bœuf séché et fumé, rouge foncé au centre, recouvert d'une épaisse couche d'épices. Variante du *pastourma* israélien et prédécesseur du *pastrami* arménien.

Boulghour : grains de blé précuits, séchés et moulus plus ou moins finement. Il se vend complet ou, plus couramment, mondé. La variété fine s'emploie dans la confection des *kibbé* et du taboulé ; la variété moyenne, dans les farces et ragoûts comme l'*imjadra*.

Café et thé : le *gaouhwa* (café) et le *chaï* (thé) se consomment en grandes quantités, le café étant la principale boisson libanaise, particulièrement appréciée après le dîner. Ils se servent tous les deux dans de petites tasses sans anse — le thé le plus souvent dans des verres. Contrairement aux Turcs, les Libanais transvasent le café dans un récipient avant de le servir ; il est ainsi débarrassé du dépôt qui caractérise le café typique de nombreux pays du Moyen-Orient. Le café étant préparé avec le sucre, on doit préciser au préalable si on le désire très sucré (*sokah ziyadé*), moyennement sucré (*mazbout*) ou non sucré (*sayeday*). Les Libanais le parfument généralement de cardamome en poudre (qui peut être ajoutée au café fraîchement moulu lorsqu'on l'achète). (La cardamome est parfois remplacée par la cannelle, considérée comme un aphrodisiaque). Les Libanais concluent souvent le dîner par plusieurs tasses de café suivies de plusieurs tasses de thé.

Thé et café se dégustent aussi à tout moment de la journée, et les cafés sont remplis d'hommes (bien que les femmes libanaises fréquentent également cafés et restaurants), bavardant et fumant la pipe à eau, le *narghilé*. Le thé se sert sucré, toutefois moins qu'en Afrique du Nord. Les feuilles de menthe n'infusent pas avec la boisson. On les ajoute juste avant de servir le thé.

Eaux de fleurs : l'eau de rose et l'eau de fleur d'oranger entrent dans la fabrication des desserts et entremets, notamment le *mam'oul* et les pâtisseries à base de pâte filo. L'eau de fleur d'oranger est aussi mise à bouillir avec de l'eau pour préparer le « café blanc » libanais, digestif qui se consomme après les repas.

Haricots verts à l'huile d'olive

Pain libanais

Feuilles de vigne : au Liban, la vigne poussant à profusion autour des portes et sur les vérandas, on se procure facilement des feuilles fraîches. À l'étranger, elles se vendent dans des sacs en plastique ou des boîtes de conserve, conservées dans la saumure. Il faut les laisser tremper, puis les égoutter avant emploi.

Fèves et haricots : les fèves les plus couramment employées sont la variété brune (*foul nabed*) et celle, petite et plus foncée, dénommée *foul medames*, avec sa tache noire caractéristique. Cette dernière se consomme quotidiennement comme en-cas, au petit déjeuner et dans les plats principaux. Les haricots les plus utilisés sont les blancs, secs (*foul baladi sayyidé*), et les verts, frais (*loubié*), qui se servent comme *meze*, en salade, en accompagnement de plats principaux, ou avec les ragoûts de viande.

Filo : pâte feuilletée à base de farine, d'eau et d'huile, datant de la Grèce ancienne. Elle se présente sous forme de feuilles très fines, et s'emploie dans la confection de préparations salées et sucrées, dont les *baklava*. Délicate à réaliser chez soi, sauf par les cuisinières expérimentées, cette pâte se vend en paquets de grandes feuilles.

Fromages : généralement blancs, les fromages libanais sont à base de lait de chèvre ou de brebis. Le plus répandu est le *labné*, que l'on achète ou confectionne soimême ; il s'agit d'un yaourt épais, servant de condiment et d'ingrédient. Les *shanklish* sont de petites boulettes de *labné* enrobées de menthe, de thym et d'autres herbes, puis conditionnées dans des bocaux ou servies avec de l'huile. À base de lait de brebis, l'*anari* se vend fraîche — comme la ricotta — et sèche, pour râper. Le fromage blanc et salé dénommé *jibé beïdé* équivaut à la feta grecque, qui peut le remplacer. Plus forts et plus affinés, le *kallaje*, ainsi que l'*halloumi*, fromage turc, plus connu, présentent une texture légèrement caoutchouteuse et se servent frits avec du pain ou des œufs. D'origine syrienne, le *jibné jadoulé* ou « fromage tressé », ressemble à la mozzarella et s'utilise de la même manière.

Graines : les plus populaires au Liban sont les pistaches (*fosto*) et les pignons de pin (*sonoba*), qui s'utilisent dans tout le répertoire culinaire, des *meze* aux confiseries et aux entremets. Amandes (*lohz*), noix de cajou (*cajou*) et noix (*en'gamaël*) sont également appréciées.

Houmous : ce terme désigne à la fois les pois chiches entiers et la préparation crémeuse obtenue avec les graines écrasées, puis assaisonnées de jus de citron, huile d'olive, ail, herbes et épices (p. 36). L'houmous se sert comme *meze* et en accompagnement de préparations grillées — poulet, brochettes ou *shawarma*.

Huiles : l'huile d'olive est l'ingrédient le plus couramment utilisé dans la cuisine libanaise avec le *samné*. Elle occupe une place de choix, à l'instar des olives ellesmêmes, traitées et préparées de manières diverses. Moins parfumées, l'huile de tournesol et l'huile végétale ont fait quelques incursions dans la cuisine libanaise. Une huile traditionnelle, l'*aliyé*, provenant de moutons très gras (notamment de la queue), était jadis répandue dans les régions montagneuses et arides du Levant.

Houmous relevé de paprika et de persil

Pistaches sucrées et épicées

Kishik : d'origine iranienne, ce produit déshydraté à base de blé et de yaourt s'utilise aussi au Liban. Vendu en paquets et en bocaux, il doit être reconstitué avec de l'eau avant de s'employer comme condiment et dans la fabrication du *Manakish bi Za'atar* (pâte à pizza garnie de *kishik*, thym et huile d'olive, variante du *Lahem bil Ajine*, p. 44).

Malbalm : baguettes rose foncé ressemblant à de la cire, obtenues à partir du jus de raisin bouilli jusqu'à l'obtention d'une consistance caoutchouteuse et mélangé avec des graines. Cette confiserie se vend dans les rues et les boutiques, de la Turquie à l'Égypte, mais celle que l'on trouve en Occident vient souvent de Chypre.

Moghrabiyé : minuscules boulettes de semoule de blé vendues séchées, en paquets, et servant à épaissir la soupe de poulet au Liban. Équivalant au tapioca, cette denrée rustique ne se consomme pas dans les restaurants, ni dans les dîners élégants.

Pain : le terme général de *khoubz*, qui signifie « pain » en arabe, s'applique aux différentes sortes — pain plat et rond, feuilles complètes, variétés au sésame. Dans les régions rurales les familles cuisent le pain dans des fours en terre, tandis que dans les villes et les villages, c'est le boulanger qui le produit. Le pain se consomme en grandes quantités pendant tous les repas.

Pépins de grenade : utilisés principalement dans la cuisine iranienne et syrienne, ils entrent dans la composition de certaines farces et salades libanaises qu'ils enrichissent de leur saveur piquante et aigre-douce.

Samné : beurre clarifié au goût caractéristique, à base de lait de brebis ou de chèvre. Confectionné avec du lait de vache, il équivaut au *ghee* indien, plus fort que le beurre ordinaire. Son usage est très ancien. Son temps de cuisson prolongé et l'absence d'impuretés qu'il entraîne garantissent une conservation de plusieurs mois, en dépit de températures élevées. Lorsque les recettes spécifient l'emploi de *samné*, celui-ci peut être remplacé par du beurre ordinaire ou un mélange de beurre et d'huile, qui n'ont cependant pas la même saveur.

Saucisses : généralement à base d'agneau ou de bœuf, les saucisses orientales se grillent sur le barbecue. Les *makané* et les *soujouk,* séchées et épicées, sont coupées en morceaux et mélangées aux *batatas harras* (pommes de terre frites, p. 101) ou à d'autres légumes.

Shawarma : tranches d'agneau, enfilées et comprimées autour d'un axe vertical. La viande cuit en tournant devant une source de chaleur. Relevées d'oignons et d'une sauce épicée, les tranches de viande servent à garnir des pains arabes individuels. Un équipement spécial étant nécessaire pour préparer le *shawarma* et le cuire, il se vend dans certains snack-bars et sur les étals des marchands ambulants. Il s'apparente au *döner kebab* turc.

Tahini : crème consistante obtenue à partir de graines de sésame moulues et grillées, mélangées à de l'huile d'olive, du jus de citron et de l'ail. Cette denrée de base de la cuisine arabe et libanaise peut se préparer chez soi, mais elle se vend également en bocaux (préférables aux boîtes de conserve). Elle s'utilise seule ou participe à la préparation de certains mets.

Vin et bière : la plaine de la Bekaa est la principale région productrice de vin. Plantés en 1857 par des missionnaires jésuites, les premiers vignobles produisent toujours, malgré la guerre. Les crus les plus renommés sont le Château Musar, un vin rouge corsé, et des rosés, le Château Kefraya et le Domaine des Tourelles. Les meilleures marques de bière sont l'Almaza et la Laziza.

Yaourt : confectionné avec du lait entier de brebis ou de chèvre, le yaourt libanais est plus riche et épais que celui vendu en Occident. Il entre dans la préparation des salades, plats principaux et desserts. Égoutté, il devient le *labné,* sorte de fromage frais crémeux.

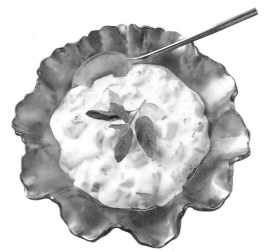

Salade de concombres et de yaourt

LE JARDIN D'HERBES LIBANAIS

Variétés les plus fréquemment utilisées

Coriandre

* **Coriandre** (*kouzbarak*) : cette herbe ressemblant à du persil plat, mais au goût plus prononcé, convient pour toutes sortes de plats cuisinés salés, salades et *meze*.

Aneth (*chabeth*) : cette herbe de la famille des ombellifères, poussant dans les régions au climat sec, parfume parfaitement poissons et salades.

Marjolaine

Marjolaine sauvage (*rigani*) : les Libanais préfèrent la variété sauvage, mais elle ne pousse pas sous cette forme en Occident ; elle relève les marinades destinées aux *kebabs* et les préparations en cocotte.

* **Menthe** (*na'na*) : la menthe poivrée et la menthe verte, qui poussent en abondance dans tout le Moyen-Orient, sont les variétés de la famille de la menthe utilisées en cuisine. La menthe fraîche parfume le thé, les salades et les plats de viande ; elle se marie très bien avec le concombre et l'agneau. Du Maroc à la Turquie, les ânes portent de grands paniers débordant de menthe.

Moutarde blanche (*barbe'en*) : cet ingrédient à la saveur prononcée, participant à la composition et à la décoration des salades, se reconnaît à ses minuscules feuilles doubles couronnant les tiges.

* **Persil** (*bagdounish*) : toujours plat, le persil utilisé au Moyen-Orient à un goût plus fort que la variété frisée.

Sauge

Sauge (*maraniyé*) : relevant les marinades, les viandes rôties et les farces, elle doit être dosée avec modération.

Thym

Thym (*za'atar*) : il entre dans la confection des farces et ragoûts, mais moins fréquemment qu'en Méditerranée occidentale.

L'ÉTAGÈRE À ÉPICES LIBANAISE

* Épices les plus fréquemment utilisées

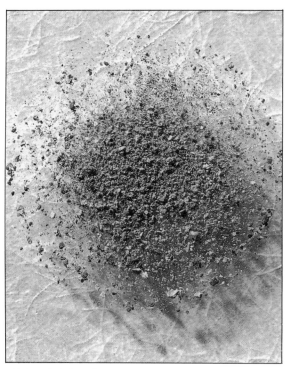

* Poivre de la Jamaïque

* Poivre de la Jamaïque (*bahar hahilou*) : l'épice la plus répandue dans la cuisine libanaise. Les petites baies rondes du *pimenta* rassemblent les parfums du clou de girofle, de la cannelle et de la noix de muscade, qui ne sont pourtant pas apparentés au poivre de la Jamaïque. Ces trois épices étant très appréciées au Liban, le poivre de la Jamaïque les remplace souvent ou s'y ajoute.

Poivre noir (*filfil asouad*) : s'emploie autant dans la cuisine arabe qu'occidentale.

* Cannelle (*kirfi*) : la cannelle, correspondant à la partie interne de l'écorce des arbres de Sri Lanka, détaillée en copeaux, était exportée vers le Levant bien avant les Croisades. Cette épice rehausse de nombreux plats libanais, des *meze* aux pâtisseries et entremets.

Cumin (*kammoun*) : moins répandu qu'en Afrique du Nord, le cumin pousse au Liban. Il s'emploie dans les salades, plats de viande et marinades.

Graines d'anis (*yansoun*) : elles entrent dans la fabrication de l'*arak* (voir pages précédentes), ainsi que dans la confection de préparations salées et sucrées.

* Cardamome (*hab'han*) : les capsules vertes de la cardamome relèvent les préparations salées, toutefois moins qu'en Inde. Les graines moulues parfument le café.

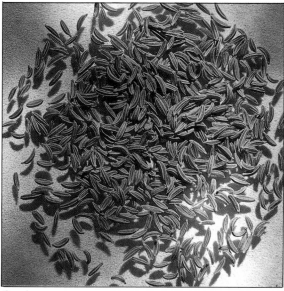

Carvi

Carvi (*karawayié*) : les graines de cette plante, apparentée à l'anis et au fenouil, enrichissent salades et préparations salées, ainsi que quelques pâtisseries arabes.

Mélange d'épices libanaises : ce mélange ne porte pas de nom spécifique et chaque cuisinière le compose à sa manière. On le prépare à l'avance pour qu'il s'imprègne des différents parfums, et on l'utilise selon les besoins. À titre indicatif, on peut mélanger 4 portions de cannelle en poudre, 1 portion de clous de girofle en poudre, 1 portion de piment en poudre et 1 portion de capsules de cardamome vertes.

Noix de muscade (*jawaz a'tib*) : la noix moulue ou râpée relève les mets salés et sucrés, bien que le poivre de la Jamaïque la remplace le plus souvent.

Piment (*bisbas*) : les petits piments verts frais font partie de l'assortiment de légumes présentés au début des repas libanais. Très forts, ils doivent être consommés avec modération. Avec les piments rouges séchés, ils participent à la préparation de nombreux plats salés, mais pas autant que dans la cuisine d'Afrique du Nord.

Safran (*zafaran*) : au Liban, il sert surtout à colorer le riz et ne compte pas parmi les épices de base comme dans la cuisine iranienne et indienne.

Sumac (*sumac*) : cette épice au goût amer provient des baies écrasées du sumac. Elle s'utilise principalement dans la cuisine iranienne, mais figure parmi les ingrédients du *Fatayer* libanais (p. 41) et sert de condiment, comme le poivre, que l'on saupoudre sur les salades et les préparations salées

Curcuma (*kourkoum*) : comme le safran, il s'utilise parfois, avec modération, pour colorer les plats de riz. Il offre une saveur amère et une couleur plus prononcée que celle du safran.

Clous de girofle

Noyau de cerise (*mahlab*) : cette épice spécifiquement arabe provient de l'amande brun clair contenue dans le noyau de la cerise. Vendu entier, il doit être moulu sous forme de poudre. Bien qu'utilisé principalement dans la cuisine syrienne et iranienne, il entre parfois dans la fabrication des pains et pâtisseries libanais.

Paprika (*filfil hilou*) : cette épice s'emploie peu au Liban, principalement pour décorer les plats.

Clous de girofle (*kabsh kournfoul*) : comme la cannelle, ces boutons floraux séchés ont toujours joué un rôle important dans les mets salés et sucrés au Liban.

Curcuma

SUGGESTIONS DE MENUS

DÉJEUNER D'ÉTÉ
Crème d'artichauts glacée

◆

Citrons farcis aux sardines (*Hamid Mashi wi Sardine*)
Feuilles de vigne farcies (*Wara Inab*)

◆

Salade de bœuf et d'orge
Foul Medames

◆

Gâteau au yaourt et à l'orange

BUFFET VÉGÉTARIEN CHAUD ET FROID
Boulettes de fromage (*Shanklish*)
Avocat au *tahini* (*Avocado bi Tahini*)
avec pain arabe (*Khoubz*) ou pitta
Olives à la mode de Beyrouth

◆

Boulettes de pois chiches (*Falafel*)
Baklava salés
Salade libanaise au pain (*Fattoush*)

◆

Terrine de légumes (*Mousakha*)
Boulghour aux lentilles (*Imjadra*)

◆

Sorbet à l'orange
Macarons aux pignons de pin

DÎNER DE POISSON
Potage aux épinards et au yaourt (*Labenaya*)

◆

Palourdes et moules marinière à la mode de Tyr

◆

Poisson farci au four (*Samak Harrah*)
Pommes de terre aux pois chiches (*Batatas bi Houmous*)

◆

Salade de pamplemousse et d'avocat

◆

Gâteaux feuilletés aux noix (*Baklava*)

REPAS LIBANAIS TYPIQUE
Mélange de graines chaud (*Mouhamara*)
Beurre de pois chiches au *Tahini* (*Houmous bi Tahini*)
Caviar d'aubergines (*Moutabel*)
Sauce au fromage frais (*Labné*)
Pain arabe (*Khoubz*) ou pitta

◆

Boulettes d'agneau (*Kibbé bi Shamiyê*)
Croûtes de fromage (*Kallaje*)
Sardines grillées (*Sardine Meshoui*)
Légumes au vinaigre (*Kabbis*)

◆

Salade de boulghour et d'herbes (*Taboulé*)
Aubergines aigres-douces (*Bazinjane Rahib*)

◆

Chiches-kebabs libanaises (*Lahem Meshoui*)
Ailes de poulet à l'ail (*Jawané*)
Riz pilaf

◆

Yaourt au miel et aux amandes

REPAS FAMILIAL
Potage aux légumes de printemps

◆

Ragoût d'agneau aux gombos (*Bamia Maslou*)
Riz aux lentilles (*Mudardara*)

◆

Gâteau de semoule au citron (*Basbousa*)
Glace à la cannelle

APÉRITIF
Amandes aux épices (*Lohz*)
Bouchées au fromage frais et aux abricots
Radis farcis
Calmars frits aux amandes
Boulettes de viande aux fruits secs, sauce à la menthe
Feuilletés aux épinards (*Fatayer*)
Boulettes de poisson (*Kibbé Samak*)
Beignets de courgettes (*Agga bi Kousa*)

SOUPES
CHORBA

CRÈME D'ARTICHAUTS GLACÉE

Pour 6 personnes

L'artichaut pousse à profusion sur les terrains pauvres et sablonneux, en dehors de la plaine de Bekaa, principale région productrice de légumes. Pour réaliser cette recette, les Libanais utilisent de petits artichauts entiers, qui peuvent être remplacés par des cœurs surgelés ou en conserve.

- *1,2 l de bouillon de volaille*
- *10 à 12 cœurs d'artichauts surgelés ou en conserve, égouttés et hachés grossièrement*
- *90 ml de crème liquide*
- *4 cuil. à café de jus de citron*
- *Sel et poivre fraîchement moulu*
- *1 petit poivron rouge évidé, épépiné et finement haché*
- *8 oignons nouveaux, (parties blanches) finement hachés*
- *Poivre de Cayenne*

Réunir dans une grande casserole le bouillon de volaille et les cœurs d'artichauts. Porter à ébullition, puis laisser frémir 10 minutes à couvert. Retirer du feu et réduire en purée, en plusieurs fois, dans un mixer ou un robot équipé d'un couteau en métal. Filtrer la purée dans un grand saladier et laisser refroidir légèrement. Ajouter la crème, le jus de citron, puis le sel, le poivre et le poivre de Cayenne. Couvrir et laisser toute la nuit au réfrigérateur.

Si nécessaire, rectifier l'assaisonnement avant de servir. Répartir la soupe dans 6 bols individuels et servir décoré de poivron et d'oignon.

SOUPE DE LENTILLES À L'AIL ET À L'OIGNON
CHURIT'AADS

Pour 6 à 8 personnes

Les lentilles font partie intégrante de la cuisine rustique au Liban, comme dans l'ensemble du Moyen-Orient. La petite variété rouge est le plus souvent employée pour les soupes, car elle se cuit plus facilement et offre une saveur plus douce que les autres.

- *450 g de lentilles oranges, lavées et égouttées*
- *2,25 l de bouillon de bœuf ou d'agneau*
- *2 gros oignons, hachés*
- *2 bâtons de céleri, hachés*
- *1 grosse tomate, pelée, épépinée et concassée*
- *2 cuil. à soupe de* samné
- *Sel et poivre fraîchement moulu*
- *1 cuil. à café ½ de cumin en poudre*
- *1 cuil. à soupe ½ de* Taratour bi Sad *(p. 111)*
- *Quartiers de citron*

Faire bouillir le bouillon dans une grande casserole. Ajouter les lentilles, la moitié des oignons, le céleri et la tomate. Porter de nouveau à ébullition, puis laisser frémir 50 minutes à couvert.

Pendant ce temps, faire fondre la moitié du *samné* à feu moyen dans une petite poêle. Incorporer le reste d'oignons et laisser blondir doucement, sans cesser de remuer. Retirer du feu et réserver. Lorsque les lentilles et les légumes sont tendres, réduire la soupe en purée, en plusieurs fois, dans un mixeur ou un robot équipé d'un couteau en métal. Remettre la soupe dans la casserole, ajouter le sel, le poivre, le cumin et le *Taratour*. Réchauffer pendant 5 minutes en remuant. Incorporer le reste de *samné* juste avant de servir.

Verser dans des bols individuels et décorer d'oignons blondis. Présenter les quartiers de citron séparément pour les presser dans la soupe.

CRÈME DE CONCOMBRES AU CUMIN

Pour 6 personnes

Idéale pour les journées chaudes, cette recette existe sous de multiples variantes dans tout le Moyen-Orient, en Turquie et dans les Balkans.

- ◆ ½ cuil. à café de graines de cumin
- ◆ 4 concombres (environ 450 g), pelés, épépinés et hachés
- ◆ 2 petites gousses d'ail, écrasées
- ◆ 250 ml de lait ribot
- ◆ Sel et poivre fraîchement moulu
- ◆ 6 minces rondelles de citron

Éparpiller les graines de cumin sur une plaque de cuisson et faire dorer légèrement sous le gril. Mixer finement avec les concombres, l'ail et le lait dans un mixeur ou un robot équipé d'un couteau en métal. Verser la soupe dans un grand saladier, assaisonner, puis laisser plusieurs heures au réfrigérateur. Servir dans des bols individuels, décoré d'une rondelle de citron.

SOUPE AUX ÉPINARDS ET AU YAOURT
LABENAYA

Pour 6 personnes

Populaire en Égypte, en Jordanie et au Liban, cette soupe se prépare habituellement avec des bettes, qui lui confèrent une saveur légèrement acidulée. Lorsqu'on les remplace par des épinards, comme dans cette recette, il suffit d'ajouter un peu de vinaigre de vin blanc.

- ◆ 475 g de yaourt grec
- ◆ Une grosse pincée de curcuma
- ◆ 3 cuil. à soupe d'huile d'olive
- ◆ 1 gros oignon, finement haché
- ◆ 450 g de feuilles d'épinards, soigneusement lavées et détaillées en lanières

- ◆ 2 petits poireaux, finement hachés
- ◆ 100 g de riz à long grain
- ◆ 1,15 l de bouillon de légumes
- ◆ 3 cuil. à soupe de vinaigre de vin blanc
- ◆ Sel et poivre fraîchement moulu
- ◆ 1 gousse d'ail, écrasée

Mélanger dans un saladier l'ail, le yaourt et le curcuma, puis laisser la préparation s'imprégner des différentes saveurs.

Faire chauffer l'huile d'olive dans une grande cocotte et incorporer l'oignon. Laisser blondir en remuant avant d'ajouter les épinards, les poireaux et le riz. Quelques minutes après, verser le bouillon et le vinaigre, puis assaisonner. Porter à ébullition et laisser frémir 15 à 20 minutes à couvert, jusqu'à ce que le riz soit tendre.

Juste avant de servir, incorporer la préparation au yaourt hors du feu, puis verser aussitôt dans des bols individuels.

SOUPE DE POULET AU CITRON

Pour 6 personnes

Les volailles vivent en liberté dans les régions rurales, et on les laisse grandir pour leurs œufs. La vie des poules se termine souvent dans des soupes comme celle-ci.

- ◆ *1,3 à 1,7 kg de poulet fermier, détaillé en morceaux*
- ◆ *750 ml de bouillon de volaille*
- ◆ *1 oignon moyen, haché*
- ◆ *2 tomates, pelées, épépinées et concassées*
- ◆ *1 cuil. à soupe de feuilles d'estragon fraîches*
- ◆ *1 cuil. à café de zeste de citron râpé*
- ◆ *Le jus d'un citron*
- ◆ *Sel et poivre fraîchement moulu*
- ◆ *2 pommes de terres, épluchées et hachées*
- ◆ *225 g de gombos, épluchés*
- ◆ *50 g de piments jalapeño en conserve, hachés*
- ◆ *100 g de grains de maïs surgelés*
- ◆ *Persil plat, haché*
- ◆ *Paprika*

Réunir dans une grande cocotte les morceaux de poulet (sauf les blancs), le bouillon, l'oignon, les tomates, l'estragon et le zeste de citron. Verser 3 tasses d'eau, assaisonner et porter à ébullition. Réduire le feu, puis laisser frémir 20 minutes à couvert. Ajouter les blancs de poulet et poursuivre la cuisson jusqu'à ce qu'ils soient tendres. Retirer les morceaux de poulet avec une écumoire et laisser refroidir.

Incorporer les pommes de terre dans la soupe, couvrir et laisser frémir encore 25 minutes, jusqu'à ce qu'elles soient cuites. Ajouter les gombos 10 minutes après.

Lorsque le poulet est froid, séparer la chair des os, en jetant la peau, et détailler en menus morceaux. Mélanger à la soupe, avec les piments et les grains de maïs. Porter de nouveau à ébullition et continuer la cuisson à feu doux pendant 5 minutes. Arroser de jus de citron, puis assaisonner de persil et de paprika juste avant de servir.

SOUPE AUX LÉGUMES DE PRINTEMPS

Pour 6 personnes

Lorsque les légumes de printemps parviennent à maturité, notamment les fèves, ils participent à la confection de délicieuses soupes comme celle-ci, qui porte la marque du passage des juifs séfarades au Liban.

- ◆ *1,2 l de bouillon de volaille*
- ◆ *1 gros oignon, finement haché*
- ◆ *2 petites gousses d'ail, écrasées*
- ◆ *2 bâtons de céleri, finement hachés*
- ◆ *Sel et poivre fraîchement moulu*
- ◆ *2 poireaux, épluchés, lavés et finement émincés*
- ◆ *5 cœurs d'artichauts, hachés*
- ◆ *275 g de fèves*
- ◆ *4 cuil. à soupe de menthe, finement ciselée*
- ◆ *4 cuil. à soupe de coriandre, finement ciselée*
- ◆ *4 cuil. à soupe de persil plat, finement ciselé*
- ◆ *Poivre de Cayenne*
- ◆ *Pitta, coupée en deux dans le sens de la longueur, grillée et détaillée en lanières*

Réunir dans une grande casserole le bouillon de volaille, l'oignon, les gousses d'ail, le céleri et l'assaisonnement. Verser 350 ml d'eau dans la casserole. Porter à ébullition, puis réduire le feu et laisser frémir 15 minutes. Ajouter les poireaux, les cœurs d'artichauts, les fèves, et poursuivre la cuisson à feu doux pendant 35 minutes, jusqu'à ce que les fèves soient tendres. Incorporer hors du feu les herbes et le poivre de Cayenne.

Laisser la soupe s'imprégner du parfum des herbes pendant quelques minutes puis servir avec des morceaux de pitta éparpillés sur le dessus.

POTAGE À LA TOMATE ET À LA CORIANDRE

Pour 6 personnes

La coriandre rehausse de nombreux mets libanais de sa saveur subtile. Cette soupe estivale, à confectionner avec des tomates bien mûres, sera le prélude idéal à un plat de poisson ou de volaille.

- ◆ *1,5 kg de tomates bien mûres, grossièrement concassées*
- ◆ *175 ml de jus de tomate*
- ◆ *3 cuil. à soupe de jus d'orange fraîchement pressé*
- ◆ *1 poivron en conserve, épépiné*
- ◆ *3/4 de cuil. à café de sucre en poudre*
- ◆ *Eau glacée*
- ◆ *4 cuil. à soupe de coriandre fraîche, finement ciselée*
- ◆ *150 ml de yaourt grec*

Dans un mixeur ou un robot équipé d'un couteau en métal, réduire sous forme de purée onctueuse les tomates, l'oignon, le jus d'orange, le poivre et le sucre. Presser la purée à travers un tamis avec une cuillère en bois. Mouiller avec l'eau glacée pour obtenir la consistance d'une soupe. Incorporer la coriandre, couvrir et laisser refroidir au réfrigérateur. Présenter le yaourt séparément, pour que les convives se servent à leur guise.

Soupe aux légumes de printemps

VELOUTÉ AUX DEUX MELONS
CHORBA SHAEMAN

Pour 6 personnes

Des melons de toutes sortes — verts, jaunes et orange — sont cultivés dans les vallées situées à l'intérieur du pays. Ils constituaient l'une des principales exportations jusqu'à la crise du Moyen-Orient. Parvenus à maturité, ils se dégustent simplement découpés en portions. Les melons trop mûrs peuvent servir à la préparation de ce potage original, de deux couleurs.

- ◆ *2 gros melons verts, pelés, épépinés et hachés*
- ◆ *2 gros melons cantaloups, pelés, épépinés et hachés*
- ◆ *4 cuil. à soupe de jus de citron vert*
- ◆ *4 cuil. à soupe de sucre en poudre*
- ◆ *4 cuil. à soupe de jus de citron jaune*
- ◆ *120 ml de yaourt grec*
- ◆ *Cannelle en poudre*
- ◆ *Feuilles de menthe*

Dans un mixeur ou un robot équipé d'un couteau en métal, réduire en purée lisse le melon vert, le jus de citron vert et 2 cuil. à soupe de sucre. Verser dans un pichet, couvrir et laisser au réfrigérateur.

Laver le mixeur ou le robot avant de le remplir avec le melon cantaloup, le jus de citron jaune et le reste de sucre. Réduire sous forme de purée lisse. Verser dans un pichet, couvrir et laisser au réfrigérateur.

Au moment de servir, disposer devant soi les bols individuels. Prendre les deux pichets et verser les deux potages en même temps dans chaque bol, de chaque côté.

Régulariser les bords des potages avec une cuillère. Ajouter ensuite une cuillerée de yaourt saupoudrée de cannelle et décorée de feuilles de menthe.

EN-CAS, HORS-D'ŒUVRE ET SALADES
MEZZÉ WI SALAT

MÉLANGE DE GRAINES ÉPICÉ
DUKKA

Pour 350 g de préparation

Cette spécialité d'origine égyptienne a fait son chemin à travers tous les pays du Levant. Épices et graines peuvent être sélectionnées et associées selon les goûts de chacun — les pois chiches constituant la base de régime alimentaire des pauvres.

- *50 g de noisettes décortiquées ou de pois chiches, égouttés après avoir trempé dans l'eau*
- *75 g de graines de sésame*
- *75 g de graines de coriandre*
- *50 g de graines de cumin*
- *Sel et poivre fraîchement moulu*
- *¼ de cuil. à café de thym séché*
- *¼ de cuil. à café de marjolaine séchée*
- *Zeste de citron séché*

Faire chauffer le four à 180 °C (thermostat 4).
Laisser dorer les noisettes ou les pois chiches environ 8 minutes sur une plaque de cuisson, en surveillant soigneusement pour éviter qu'ils ne brûlent. Mettre ensuite dans un robot équipé d'un couteau en métal. Étaler les graines de sésame, de coriandre et de cumin en les séparant sur la plaque de cuisson et faire dorer 5 minutes, puis mettre dans le robot. Ajouter le sel, le poivre, le thym, la marjolaine et le zeste de citron. Laisser refroidir légèrement les graines et les noisettes ou les pois chiches avant de les broyer, pour éviter que leur huile n'humidifie le mélange. Appuyer sur la touche « pulse » pour hacher grossièrement, puis servir avec des morceaux de pain arabe (*khoubz*).
Le *dukka* se conserve environ une semaine dans un récipient hermétique.

AVOCAT AU TAHINI

Pour 450 ml de préparation

Lorsque les avocats mûrs inondent les marchés libanais, ils invitent à la confection de ce *meze* traditionnel, très facile à réaliser, que l'on rencontre rarement dans les restaurants libanais à l'étranger.

- *2 gousses d'ail, écrasées*
- *Sel*
- *2 avocats mûrs*
- *Le jus de 2 citrons*
- *5 cuil. à soupe de tahini*
- *1 cuil. à café de cumin en poudre*
- *Piments rouges, écrasés*

Mélanger l'ail et le sel dans un saladier. Couper les avocats en deux, ôter le noyau et mettre la chair dans le saladier. Écraser avec l'ail et un peu de jus de citron, jusqu'à l'obtention d'un mélange homogène. Incorporer le reste de jus de citron, le *tahini* et le cumin, puis battre sous forme de purée lisse.
Verser la purée dans un saladier, dessiner des spirales à la surface et saupoudrer avec des piments écrasés, frottés entre les doigts. Servir avec du pain arabe (*khoubz*) ou de la pitta.

AMANDES ÉPICÉES
LOHZ

Pour 275 g de préparation

Les graines jouent un rôle important dans la cuisine levantine, tant dans les en-cas que dans les plats principaux ou les desserts. Sucrées ou épicées, elles constituent de délicieux *meze*, comme ces amandes.

- ◆ *3 cuil. à soupe d'huile de tournesol*
- ◆ *275 g d'amandes entières, mondées*
- ◆ *150 g de sucre roux*
- ◆ *1 cuil. à café ¹/₂ de cumin en poudre*
- ◆ *1 cuil. à café de piments en flocons, écrasés*
- ◆ *Sel*

Faire chauffer l'huile à feu moyen. Ajouter les amandes et 100 g de sucre. Remuer pour enrober soigneusement les amandes de sucre et les faire caraméliser.

Mettre les amandes dans un saladier et mélanger avec le cumin, le piment et le sel. Laisser sécher sur une plaque de cuisson, puis saupoudrer avec une cuillerée de sucre pendant que les amandes sont encore chaudes. Servir chaud ou à température ambiante.

Ces amandes se conservent deux semaines dans un récipient hermétique.

PISTACHES SUCRÉES ET ÉPICÉES
FOSTU

Pour 275 g de préparation

Encore une recette de graines à grignoter comme en-cas, dans une version sucrée.

- ◆ 275 g de pistaches salées, décortiquées
- ◆ 100 g de sucre en poudre
- ◆ 1 cuil. à café de macis en poudre
- ◆ 1 cuil. à café de cannelle en poudre

Mettre les pistaches dans une poêle non graissée et faire dorer en remuant régulièrement pendant 4 à 5 minutes. Saupoudrer dessus le sucre, puis les épices, et continuer de remuer jusqu'à ce que les pistaches soient caramélisées.

Laisser sécher sur du papier aluminium ou une plaque de cuisson. Séparer si nécessaire les pistaches sèches. Cette préparation se conserve deux semaines dans un récipient hermétique.

HARICOTS VERTS À L'HUILE D'OLIVE
LOUBIA BI ZEÏT

Pour 6 personnes

Cette spécialité libanaise peut se servir chaude, tiède ou froide.

- ◆ 450 g de haricots verts, éffilés et équeuttés
- ◆ 5 cuil. à soupe d'huile d'olive
- ◆ 1 oignon moyen, finement haché
- ◆ 3 gousses d'ail, écrasées
- ◆ Poivre de Cayenne
- ◆ 200 g de tomates olivettes en conserve, égouttées et concassées
- ◆ 1 piment séché, écrasé
- ◆ Sel et poivre fraîchement moulu

Porter à ébullition une casserole d'eau. Couper les haricots en sections d'environ 5 cm, plonger dans l'eau et laisser frémir 5 minutes à couvert. Égoutter soigneusement.

Faire revenir l'oignon pendant 5 à 6 minutes dans l'huile chaude, sans qu'il change de couleur. Ajouter l'ail et remuer pendant 2 minutes. Incorporer ensuite les tomates, le piment et les haricots. Assaisonner de sel, de poivre et de poivre de Cayenne. Laisser refroidir dans un saladier avant de servir froid ou à température ambiante.

SALADE LIBANAISE AU PAIN
FATTOUSH

Pour 6 personnes

Cette salade rafraîchissante changera agréablement du taboulé.

- ◆ 2 gros khoubz (pains arabes) ou pittas, grillés
- ◆ Le jus de 1 citron ½
- ◆ 1 concombre, épépiné et détaillé en cubes
- ◆ 6 oignons nouveaux, hachés
- ◆ 1 petit poivron vert, évidé, épépiné et finement haché
- ◆ Sel et poivre fraîchement moulu
- ◆ 4 tomates olivettes en conserve, épépinées, égouttées et concassées
- ◆ 2 gousses d'ail, écrasées
- ◆ 1 cuil. à soupe de persil plat, finement ciselé
- ◆ 1 cuil. à soupe de coriandre, finement ciselée
- ◆ 120 ml d'huile d'olive

Couper le pain grillé en petits morceaux et les mettre dans un saladier. Presser dessus le jus de ½ citron et remuer. Réserver pendant 5 minutes.

Réunir tous les autres ingrédients dans un grand saladier. Remuer délicatement, ajouter le pain, arroser de jus de citron puis mélanger. Servir la salade aussitôt.

MÉLANGE DE GRAINES CHAUD
MOUHOUMARA

Pour 250 g de préparation

Une variante typiquement libanaise du mélange de graines épicé, dont la saveur relevée séduira tous les palais.

- ◆ *100 g de noix, décortiquées et épluchées*
- ◆ *100 g de pignons de pin*
- ◆ *1 cuil. à soupe d'huile de tournesol*
- ◆ *1 gousse d'ail, finement hachée*
- ◆ *10 radis, épluchés et finement hachés*
- ◆ *Poivre de Cayenne*
- ◆ *2 petits piments verts frais, épépinés et finement hachés*
- ◆ *4 oignons nouveaux, finement hachés*
- ◆ *½ cuil. à soupe d'huile de sésame*
- ◆ *Sel*

Écraser les noix en plusieurs fois avec un mortier et un pilon. Procéder de même avec les pignons de pin, puis réserver (ou bien hacher grossièrement les noix et les pignons avec un couteau, puis terminer avec un rouleau à pâtisserie).

Faire chauffer l'huile de tournesol à feu moyen dans une poêle. Ajouter l'ail, les radis, les piments, et laisser rissoler pendant quelques minutes, en évitant que l'ail ne brûle. Incorporer ensuite les noix et les pignons de pin, et faire revenir pendant une ou deux minutes. Mélanger enfin les oignons et l'huile de sésame pendant une minute. Assaisonner de sel et de poivre de Cayenne avant de laisser refroidir dans un saladier. Servir accompagné de pain arabe (*khoubz*) ou de pitta.

OLIVES À LA MODE DE BEYROUTH

Il existe beaucoup plus de variétés et de couleurs d'olives au Moyen-Orient qu'en Occident. Rondes ou ovales, vertes, noires ou violettes, préparées dans la saumure, l'huile ou le vinaigre, elles constituent l'une des denrées de base des *meze*. Celles-ci sont parfumées au citron.

- ◆ *4 cuil. à soupe d'huile d'olive vierge extra*
- ◆ *2 cuil. à café de jus de citron fraîchement pressé*
- ◆ *1 cuil. à café de zeste de citron râpé*
- ◆ *2 gousses d'ail*
- ◆ *½ cuil. à café de graines d'aneth*
- ◆ *400 g d'olives vertes ou noires dénoyautées en conserve, égouttées*

Réunir dans un récipient muni d'un couvercle l'huile d'olive, le jus de citron, l'ail, le zeste de citron et les graines d'aneth. Remuer soigneusement. Ajouter les olives et secouer pour bien mélanger. Laisser le récipient fermé de trois jours à une semaine dans le réfrigérateur.

BOULETTES DE FROMAGE
SHANKLISH

Pour 25 à 30 boulettes

Au Liban, ces boulettes de fromage se confection-
nent avec un fromage de chèvre appelé *jibna arish*,
ressemblant à la feta. Il peut être remplacé par un
fromage de chèvre frais additionné de feta.

- 225 g de fromage de
  chèvre frais
- ½ cuil. à café de cumin
  en poudre
- ¼ de cuil. à café de
  poivre de Cayenne

- 175 g de feta
- 3 cuil. à soupe de feuilles
  de menthe ou de thym
  hachées
- 4 cuil. à soupe d'huile
  d'olive

Réunir les fromages, le cumin et le poivre de Cayenne
dans un saladier, puis écraser soigneusement. Prélever
de petites cuillerées à soupe de préparation et façonner
sous forme de boulettes. Rouler les boulettes dans les
herbes, puis laisser durcir au réfrigérateur. Pour servir,
disposer les boulettes sur une assiette et arroser d'huile
d'olive.

BOUCHÉES AU FROMAGE ET AUX ABRICOTS

Pour environ 25 bouchées

Dans cette recette, l'utilisation de graines de pavot révèle l'influence des juifs ashkénazes. On peut les remplacer par des graines de sésame ou des pignons de pin grillés pour lui donner une tonalité arabe.

◆ 225 g de fromage frais crémeux

◆ 50 g de noisettes décortiquées et épluchées

◆ 4 cuil. à soupe de graines de pavot

◆ 1 cuil. à café de poivre fraîchement moulu

◆ ½ cuil. à café de poivre de Cayenne

◆ 25 abricots secs

Préchauffer le four à 180 °C (thermostat 4).

Travailler le fromage frais dans un saladier pour le rendre crémeux. Faire griller les noisettes au four pendant 8 minutes sur une plaque de cuisson. Hacher grossièrement et incorporer au fromage. Assaisonner de poivre et de poivre de Cayenne avant de mélanger délicatement.

Répartir la préparation sur les abricots, sous forme de monticule. Rouler le dessus dans les graines de pavot pour les en enrober, puis laisser durcir 2 à 3 heures au réfrigérateur.

RADIS FARCIS

Pour environ 35 radis

Les gros radis que l'on trouve en France poussent abondamment au Liban et sont très prisés comme hors-d'œuvre. Mais cette présentation est typique du Moyen-Orient.

- ◆ *450 g de radis*
- ◆ *100 g de fromage frais crémeux ou de* labné *(p. 53)*
- ◆ *1 cuil. à soupe de câpres hachées*
- ◆ *75 g de purée d'olives en bocal, égouttée*
- ◆ *1 cuil. à soupe ½ de persil plat finement ciselé*
- ◆ *Branches de persil plat*

Préparer les radis de manière à ce qu'ils puissent reposer sur l'une ou l'autre extrémité. Couper en deux et plonger dans un saladier d'eau glacée. Creuser légèrement chaque moitié avec un couteau pointu. Garder dans l'eau glacée jusqu'à ce que tous les radis soient prêts. Égoutter ensuite à l'envers sur du papier absorbant.

Mélanger soigneusement dans un saladier le fromage, les câpres, la purée d'olives et le persil haché. Remplir délicatement les moitiés de radis de cette préparation et aplatir avec une fourchette. Décorer de feuilles de persil.

HOUMOUS

Pour environ 475 ml

Dans cette version fraîche et légère de l'houmous, la saveur du citron et des épices se substitue à celle, prononcée, du sésame. Les Libanais le servent souvent avec un peu d'agneau haché et rissolé.

- ◆ 425 g de pois chiches en conserve, rincés et égouttés
- ◆ 2 gousses d'ail, écrasées
- ◆ 2 cuil. à soupe d'huile d'olive
- ◆ 1 cuil. à soupe d'huile de tournesol
- ◆ ½ cuil. à café de poivre de Cayenne
- ◆ 3 cuil. à soupe de jus de citron fraîchement pressé
- ◆ Sel et poivre fraîchement moulu
- ◆ ¼ de cuil. à café de piment en poudre
- ◆ 2 cuil. à soupe de persil haché
- ◆ 100 g d'agneau ou de bœuf haché, rissolé avec un peu de sel, de poivre et de cannelle (facultatif)

Réunir les pois chiches, l'ail et l'huile d'olive dans un robot équipé d'un couteau en métal. Mixer pour obtenir une consistance homogène. Ajouter ensuite le reste d'huile, le jus de citron, le sel, le poivre, les épices et le persil. Continuer de mixer jusqu'à l'obtention d'une consistance lisse, en mouillant si nécessaire avec de l'eau. Dresser dans un saladier et dessiner des spirales à la surface. Servir avec du pain arabe (*khoubz*) ou de la pitta.

Éventuellement, avant de servir, creuser légèrement la surface et poser dessus la viande rissolée. Pour consommer la préparation, en prélever avec des morceaux de pain.

+ cf. livre Annie Hubert -

HOUMOUS BI TAHINI

Pour environ 475 ml

Le sésame enrichit de son goût fumé cette recette traditionnelle de l'houmous, que l'on rencontre de la Grèce à la Turquie et à l'Égypte.

- ◆ *425 g de pois chiches en conserve, rincés et égouttés*
- ◆ *3 cuil. à soupe de* tahini
- ◆ *1 cuil. à café de cumin*
- ◆ *2 cuil. à soupe d'huile d'olive*
- ◆ *1 gousse d'ail, écrasée*
- ◆ *3 cuil. à soupe de jus de citron fraîchement pressé*
- ◆ *Sel et poivre fraîchement moulu*
- ◆ *Paprika*

Réunir dans un robot équipé d'un couteau en métal les pois chiches, l'ail, le *tahini*, le cumin et 1 cuil. à soupe d'huile d'olive. Mixer pour hacher finement, puis faire glisser la préparation le long des parois du récipient. Ajouter le jus de citron, le sel, le poivre, et continuer de mixer jusqu'à l'obtention d'une consistance lisse. Dresser la préparation dans un saladier, lisser la surface et dessiner des spirales, puis arroser avec le reste d'huile d'olive. Saupoudrer de paprika et servir avec du pain arabe (*khoubz*) ou de la pitta.

CAVIAR D'AUBERGINES
MOUTABEL

Pour environ 600 ml

Dénommée *Baba Gannouj* par les Arabes, cette purée réunit deux saveurs fumées : celle de l'aubergine grillée, et celle du *tahini* ou beurre de sésame. Fort prisé des étrangers, ce *meze* libanais a désormais conquis les rayons des supermarchés occidentaux.

- ◆ *2 aubergines moyennes, coupées en deux*
- ◆ *Le jus d'un citron*
- ◆ *2 gousses d'ail, écrasées*
- ◆ *3 cuil. à soupe de* tahini
- ◆ *½ cuil. à café de cumin en poudre*
- ◆ *Sel et poivre fraîchement moulu*
- ◆ *1 cuil. à soupe de persil plat, ciselé*
- ◆ *Olives noires*

Piquer la peau des aubergines et les poser sur une plaque de cuisson beurrée, la chair sur le dessous. Laisser 15 à 20 minutes sous le gril, jusqu'à ce que la peau noircisse et se boursoufle, et que la chair soit tendre. Plonger dans l'eau froide à la sortie du four, puis peler délicatement en coupant la peau si elle reste attachée.

Hacher grossièrement la chair avant de la mettre dans un robot équipé d'une couteau en métal. Verser le jus de citron et mixer pendant quelques secondes. Faire glisser la préparation le long des parois du récipient avant d'ajouter le *tahini*, le cumin, le sel et le poivre. Mixer jusqu'à l'obtention d'une purée lisse.

Dresser la préparation dans un saladier, couvrir et laisser un peu au réfrigérateur. Dessiner des spirales à la surface, puis parsemer de persil et d'olives noires. Servir accompagné de pain arabe (*khoubz*) ou de pitta.

Feuilles de vigne farcies

FEUILLES DE VIGNE FARCIES
WARA INAB

Pour environ 25 feuilles de vigne

Les feuilles de vigne farcies sont populaires dans l'ensemble du bassin méditerranéen, de la Grèce à l'Égypte. Les Libanais, quant à eux, préparent la farce sans viande et servent ce mets froid.

- *175 g de feuilles de vigne en paquet (environ 35)*
- *4 cuil. à soupe d'huile d'olive*
- *1 gros oignon, finement haché*
- *2 cuil. à soupe de pignons de pin*
- *50 g de riz à long grain*
- *Sel et poivre*
- *1 cuil. à soupe de raisins secs ou de Corinthe*
- *1 cuil. à soupe ½ de menthe finement ciselée*
- *½ cuil. à soupe de cannelle*
- *Le jus de 2 citrons*

Séparer les feuilles de vigne, les mettre dans un grand récipient et couvrir d'eau bouillante. Laisser tremper 15 minutes, puis égoutter. Remettre dans le saladier, laisser tremper 10 minutes dans de l'eau froide, puis égoutter soigneusement sur du papier absorbant.

Faire chauffer 1 cuil. à soupe d'huile d'olive dans une grande poêle. Ajouter les pignons de pin et faire dorer en remuant pendant 4 minutes. Retirer les pignons avec une écumoire et réserver. Verser encore 1 cuil. d'huile dans la poêle et faire blondir les oignons pendant 5 à 6 minutes, puis incorporer le riz et saler. Mélanger le riz pour l'enrober d'huile, puis couvrir avec 120 ml d'eau bouillante. Réduire le feu et faire cuire à feu moyen, à couvert, pendant 5 minutes. Laisser reposer environ 20 minutes hors du feu, jusqu'à ce que l'eau soit absorbée et le riz tendre. Incorporer ensuite les raisins secs, les pignons, la menthe et la cannelle.

Ouvrir une feuille de vigne et déposer 2 cuil. à soupe de préparation près de l'extrémité de la tige. Enrouler la feuille une fois sur la préparation, puis replier les côtés vers le centre. Continuer de rouler la feuille jusqu'au bout, comme une cigarette. Appuyer sur la feuille garnie pour en extraire le liquide. Procéder de même avec le reste de feuilles et de farce.

Étaler éventuellement les feuilles restantes au fond d'une cocotte légèrement huilée. Disposer dessus les feuilles farcies en une seule couche. Verser le jus de citron et couvrir d'eau chaude. Arroser avec le reste d'huile d'olive avant de poser une assiette sur les feuilles. Couvrir hermétiquement et faire cuire à feu vif pendant 4 minutes, puis poursuivre la cuisson à feu doux pendant 40 minutes. Laisser refroidir à découvert dans le liquide de cuisson. Retirer ensuite les feuilles farcies avec une écumoire et dresser sur un plat de service. Servir froid ou à température ambiante, accompagné de quartiers de citron.

SALADE DE TOMATES AUX OLIVES
SALAT TOMATIN WI ZATOUN

Pour 4 à 6 personnes

Cette salade frugale accompagne couramment grillades et brochettes. Servie habituellement avec une vinaigrette classique ou du jus de citron, elle est délicieuse avec un assaisonnement au cumin et au citron.

- *5 à 6 grosses tomates, évidées et coupées en fines rondelles*
- *1 gros oignon rouge, finement haché*
- *175 g d'olives noires dénoyautées*
- *4 cuil. à soupe de persil plat finement haché*
- *Sel et poivre*
- *120 ml d'assaisonnement au cumin et au citron (p. 108)*

Disposer les rondelles de tomates sur un plat de service et parsemer dessus l'oignon, puis les olives et le persil. Saler et poivrer. Verser l'assaisonnement ou le jus de citron, puis servir la salade aussitôt.

AGNEAU AUX ÉPICES
KIBBÉ NIYÉ

Pour 6 à 8 personnes

Aucun palais ne résistera à cette variante libanaise du steak tartare, à base d'agneau et de boulghour, à condition que la viande soit tendre et de bonne qualité. Ce mets se sert traditionnellement sur un plat en verre, entouré de feuilles de salade faisant office de cuillères pour le consommer. Présentée sous forme de boulettes, la préparation s'appelle *kibbé orayé*.

- *450 g d'épaule d'agneau finement hachée*
- *Sel et poivre fraîchement moulu*
- *1 gros oignon, haché*
- *175 g de boulghour fin*
- *½ cuil. à café de poivre de la Jamaïque moulu*
- *1 cuil. à café de cumin en poudre*
- *Poivre de Cayenne*
- *Huile d'olive*
- *5 oignons nouveaux, finement hachés*
- *Feuilles de romaine ou de chicorée (facultatif)*

Mettre les morceaux d'agneau dans un robot équipé d'un couteau en métal. Mixer pour hacher grossièrement, puis ajouter le sel, le poivre et les oignons. Mixer de nouveau jusqu'à l'obtention d'une consistance lisse. Verser dans un grand saladier.

Laisser tremper le boulghour 5 mn dans l'eau froide, dans un autre saladier. Égoutter ensuite quelques minutes dans un tamis doublé d'une mousseline ou d'un tissu fin. Extraire le reste de jus en serrant les extrémités du tissu. Ajouter le boulghour à la viande. Saupoudrer dessus le cumin, le poivre de la Jamaïque et le poivre de Cayenne. Travailler la préparation avec les mains humides pendant 5 minutes, en la pétrissant et en l'aplatissant, pour obtenir une consistance granuleuse. Laisser ensuite reposer une demi-heure.

Pour présenter des *kibbé orayé*, façonner la préparation sous forme de petites boulettes de la taille de noix, ou remplir des petits moules individuels. Pour servir des *kibbé niyé* avec des feuilles de salade, ajouter 1 à 2 cuil. à soupe d'eau et continuer de pétrir la préparation jusqu'à l'obtention d'une consistance mousseuse.

Dresser les *kibbé* sur des plats séparés. Avant de servir les boulettes, les arroser d'huile d'olive. Présenter l'huile séparément avec les *kibbé niyé*, pour que les convives se servent à leur guise. Décorer les plats d'oignons hachés et de quartiers de citron.

SALADE VERTE À LA MENTHE

Pour 4 à 6 personnes

Contrastant avec la salade présentée p. 44, celle-ci associe des feuilles tendres avec un assaisonnement acidulé à base d'huile et de citron.

- *120 ml de jus de citron*
- *120 ml d'huile d'olive*
- *Sel et poivre fraîchement moulu*
- *1 petite tête de laitue, lavée, essuyée et détaillée en feuilles*
- *1 petite tête de laitue feuille-de-chêne, lavée, essuyée et détaillée en feuilles*
- *50 g de feuilles de menthe, lavées et séchées*

Mélanger dans un saladier le jus de citron, l'huile, le sel et le poivre. Ajouter les feuilles de laitue et de menthe, puis remuer délicatement. Servir la salade aussitôt.

FEUILLETÉS AUX ÉPINARDS
FATAYER

Pour environ 25 feuilletés

Préparés avec la même pâte que les *Lahem* (p. 44), ces feuilletés peuvent être garnis d'une préparation à base de fromage (voir *Baklava*, p. 50), de viande ou d'épinards, comme ici, dans la version la plus traditionnelle.

- ◆ *1 portion de pâte* lahem, *restée 30 minutes au réfrigérateur (p. 44)*

Garniture
- ◆ *900 g de feuilles d'épinards fraîches, lavées, épluchées, égouttées et hachées*
- ◆ *1 oignon, râpé*

- ◆ *3 cuil. à soupe d'huile d'olive*
- ◆ *Pépins d'une grenade*
- ◆ *100 g de noix écrasées*
- ◆ *1 cuil. à soupe de sumac (facultatif)*
- ◆ *Le jus de 1 citron* 1/2
- ◆ *Sel et poivre fraîchement moulu*

Extraire le maximum de jus des épinards. Faire revenir l'oignon râpé pendant 2 minutes dans l'huile chaude, dans une poêle. Ajouter les épinards et remuer jusqu'à ce qu'ils présentent un aspect flétri. Incorporer les pépins de grenade, les noix, le sumac et le jus de citron. Mélanger soigneusement, puis réserver.

Diviser la pâte en 25 portions et façonner sous forme de boulettes. Aplatir les boulettes en cercles aussi minces que possible sur une surface farinée. Répartir la préparation sur les cercles, au centre, puis replier les bords pour former des prismes triangulaires. Consolider les bords en les pinçant.

Préchauffer le four à 190 °C (thermostat 5).

Poser les feuilletés sur des plaques de cuisson huilées et faire cuire 5 minutes au four. Abaisser ensuite la température à 180 °C (thermostat 4) et poursuivre la cuisson pendant 15 à 20 minutes. Laisser refroidir légèrement hors du four avant de servir tiède.

CROQUETTES D'AGNEAU FARCIES

KIBBÉ BI SHAMIYÉ

Pour environ 20 *kibbé*

Cette spécialité, réalisée avec de l'agneau et du boulghour et farcie d'agneau, représente la quintessence du répertoire culinaire libanais et constitue toujours un test pour les cuisinières. Dans un pays où le robot ménager demeure un instrument rare, cette préparation nécessite un travail long et minutieux — manipulation du mortier et du pilon, introduction de la farce, cuisson délicate.

- ◆ *450 g d'épaule d'agneau, finement hachée*
- ◆ *225 à 275 g de boulghour fin*
- ◆ *Sel et poivre fraîchement moulu*
- ◆ *1 gros oignon, haché*
- ◆ *Poivre de Cayenne*
- ◆ *1 cuil. à café de cumin*
- ◆ *Huile pour la friture*

Garniture
- ◆ *2 cuil. à soupe d'huile d'olive*
- ◆ *2 cuil. à soupe de pignons de pin*
- ◆ *2 petits oignons, finement hachés*
- ◆ *225 g d'agneau haché*
- ◆ *1 cuil. à soupe d'épices libanaises (p. 16)*
- ◆ *Sel et poivre fraîchement moulu*

Mettre les morceaux d'agneau dans un robot équipé d'un couteau en métal. Mixer pour hacher grossièrement, puis ajouter l'oignon. Continuer de mixer jusqu'à l'obtention d'une consistance fine et homogène, en marquant une ou deux pauses pour faire glisser la préparation le long des parois du récipient. Verser dans un grand saladier.

Laisser tremper 275 g de boulghour pendant 10 minutes dans l'eau froide, dans un autre récipient. Égoutter ensuite le boulghour pendant quelques minutes dans un tamis doublé d'une mousseline, ou d'un tissu fin. Extraire l'excédent de liquide en serrant les extrémités du tissu. Réserver un quart du boulghour et verser le reste dans le saladier contenant la viande.

Saupoudrer la viande et le boulghour de cumin et de poivre de Cayenne. Travailler la préparation avec les mains humides, en la pétrissant et en l'aplatissant, jusqu'à l'obtention d'une consistance ferme et homogène. Ajouter si nécessaire une partie du reste de boulghour, puis réserver. Laisser 30 minutes à 1 heure au réfrigérateur.

Pendant ce temps, préparer la farce. Faire dorer légèrement les pignons de pin pendant 2 minutes dans de l'huile chaude, dans une poêle. Les retirer avec une écumoire et réserver.

Faire blondir l'oignon pendant 5 à 6 minutes dans la poêle. Ajouter l'agneau, les épices, et faire rissoler. Retirer du feu, vider le fond de cuisson, assaisonner puis incorporer les pignons de pin. Réserver.

Diviser la préparation au boulghour en 20 portions et façonner entre les mains en forme d'œufs. Creuser une cavité dans chacun avec l'index ; l'enveloppe doit être aussi mince que possible. Remplir la cavité de garniture, puis fermer l'ouverture en pinçant les bords avec les doigts. Façonner les *kibbé* en forme d'ovales.

Faire chauffer l'huile dans une grande sauteuse. Procéder en plusieurs fois pour faire dorer les *kibbé*, puis égoutter sur du papier absorbant.

Servir sur un grand plat avec les quartiers de citron. Les *kibbé* peuvent se garder au réfrigérateur ou au congélateur, et être réchauffés avant de servir.

PIZZA À L'AGNEAU
LAHEM BIL AJINE

Pour environ 25 pizzas individuelles

Cette recette typiquement libanaise se prépare avec une pâte à pain, comme les *Fatayer*, p. 41. L'agneau, utilisé traditionnellement, peut être remplacé par du bœuf haché.

- ◆ *300 ml d'eau tiède*
- ◆ *20 g de levure fraîche ou 15 g de levure sèche*
- ◆ *450 g de farine*
- ◆ *1 cuil. à café de sel*
- ◆ *1 ½ à 2 cuil. à soupe d'huile d'olive*
- ◆ *Huile d'olive (pour mouiller la pâte)*

Garniture
- ◆ *2 cuil. à soupe d'huile d'olive*
- ◆ *450 g d'oignons doux, finement hachés*
- ◆ *450 g d'agneau haché*

- ◆ *400 g de tomates en conserve, bien égouttées et concassées*
- ◆ *75 ml de concentré de tomates*
- ◆ *1 cuil. à café d'épices libanaises*
- ◆ *1 cuil. à café de sucre roux*
- ◆ *Sel et poivre fraîchement moulu*
- ◆ *1 cuil. à soupe de coriandre finement ciselée*
- ◆ *1 cuil. à soupe de persil finement ciselé*

Mélanger la levure et la moitié de l'eau dans un saladier. Laisser reposer 15 minutes, jusqu'à la formation de mousse.

Tamiser la farine et le sel dans un autre saladier. Creuser une fontaine au milieu et verser l'huile, puis la préparation à la levure. Faire tomber la farine au milieu avec les mains et commencer à pétrir sous forme de pâte. Ajouter peu à peu le reste d'eau. Pétrir la pâte pendant 15 minutes sur un plan de travail fariné, jusqu'à ce qu'elle devienne élastique, puis la façonner en forme de boule.

Verser un peu d'huile dans le saladier et rouler la pâte dedans pour l'en enrober. Mettre la pâte dans un endroit chaud et couvrir avec un torchon humide. Laisser reposer 2 heures 30, jusqu'à ce qu'elle double de volume.

Pour préparer la garniture, faire blondir les oignons dans de l'huile chaude, dans une poêle. Réunir dans un saladier la viande, les tomates, le concentré de tomates, les épices, le sucre, le sel, le poivre et les herbes. Ajouter les oignons et malaxer le tout avec les mains.

Diviser la pâte en morceaux avec les mains humides pour façonner 25 boulettes. Les aplatir entre les mains, en forme de disques, et poser sur une plaque de cuisson huilée. Répartir la garniture sur les fonds de pizza, en l'étalant soigneusement. Enfourner et faire cuire 10 minutes à 220 °C (thermostat 7), jusqu'à ce qu'elles soient dorées. Servir à la sortie du four.

Les *lahem* peuvent se garder au réfrigérateur ou au congélateur, et être réchauffés dans le four avant de servir.

SALADE VERTE MÉLANGÉE

Pour 4 à 6 personnes

Une salade rafraîchissante, légèrement amère, qu'adoucit l'assaisonnement à la pistache.

Disposer les feuilles d'endive sur les bords d'un saladier large. Mélanger au milieu les feuilles de romaine et le cresson. Verser l'assaisonnement à la pistache, remuer délicatement et servir aussitôt.

- ◆ *2 endives moyennes, lavées, essuyées et détaillées en feuilles*
- ◆ *1 botte de cresson, lavée, essuyée et débarrassée des tiges*

- ◆ *15 feuilles tendres de romaine, lavées, essuyées et coupées en chiffonnade*
- ◆ *175 ml d'assaisonnement à la pistache (p. 109)*

BOULETTES DE VIANDE AUX FRUITS SECS

Pour 25 à 30 boulettes

Les boulettes de viande existent sous de multiples variantes dans l'ensemble du Moyen-Orient. L'ajout des fruits secs est caractéristique de la Turquie et des pays du Levant, qui privilégient le mélange des saveurs salées et sucrées. Des raisins de Corinthe ou des dattes peuvent remplacer les sultanas. Cette préparation s'accompagne à merveille d'une sauce au yaourt (p. 108).

- ◆ *25 g de mie de pain*
- ◆ *120 ml de yaourt*
- ◆ *3 cuil. à soupe d'huile d'olive*
- ◆ *50 g de pignons de pin*
- ◆ *50 de raisins secs, égouttés après avoir trempé dans de l'eau chaude*
- ◆ *1 gousse d'ail, hachée*
- ◆ *3 cuil. à soupe d'oignon nouveau finement haché*
- ◆ *1 cuil. à café de cannelle en poudre*
- ◆ *1 cuil. à café de poivre de la Jamaïque en poudre*
- ◆ *1 cuil. à café de sel*
- ◆ *450 g d'agneau ou de bœuf haché*

Mélanger la mie de pain et le yaourt dans un saladier et laisser reposer 10 minutes. Faire dorer les pignons de pin pendant 4 à 5 minutes dans 1 cuil. à soupe d'huile chaude, dans une poêle. Égoutter sur du papier absorbant et mélanger à la préparation au yaourt.

Incorporer les raisins secs, l'oignon, l'ail, les épices et le sel. Ajouter la viande et malaxer soigneusement avec les mains. Laisser 30 minutes au réfrigérateur.

Façonner 30 petites boulettes avec la préparation. Faire dorer en plusieurs fois pendant 6 minutes dans l'huile chaude, en les retournant. Égoutter sur du papier absorbant et garder au chaud pendant la cuisson du reste.

Les boulettes peuvent se conserver au réfrigérateur ou au congélateur et être réchauffées au four avant de servir.

BROCHETTES AUX ŒUFS ET AUX ANCHOIS
AGGA BI ANCHOUGA

Pour 6 à 8 personnes

Cette préparation, dénommée *Egga* en Égypte où elle est très prisée, donne lieu à de multiples interprétations à travers le Moyen-Orient. Ressemblant à de l'omelette, elle se fabrique parfois, au Liban avec de la farine. Dans cette recette, elle est confectionnée avec des pommes de terre et découpée en morceaux.

- ◆ *2 cuil. à soupe d'huile d'olive ou de tournesol*
- ◆ *5 oignons nouveaux, finement hachés*
- ◆ *6 filets d'anchois, lavés, égouttés, séchés et finement hachés*
- ◆ *6 œufs*
- ◆ *1 grosse pomme de terre, râpée*
- ◆ *1 cuil. à café de cumin*
- ◆ *3 cuil. à soupe de persil plat finement ciselé*
- ◆ *Sel et poivre fraîchement moulu*

Faire blondir les oignons dans 2 cuil. à soupe d'huile, dans une grande sauteuse. Retirer avec une écumoire et mettre dans un grand saladier.

Ajouter les anchois, la pomme de terre, le cumin et le persil, puis mélanger. Incorporer les œufs un à un en fouettant, puis assaisonner.

Remettre la poêle sur le feu, en la faisant pivoter pour l'enduire d'huile. Verser la préparation, baisser le feu et laisser 15 à 20 minutes à couvert, jusqu'à ce que les œufs soient cuits.

Retirer le couvercle, poser une assiette sur l'omelette et la retourner dessus. La faire glisser délicatement dans la poêle et poursuivre la cuisson pendant 3 minutes.

Sortir l'omelette de la poêle pour la découper en fines portions. Enrouler chaque morceau de l'extrémité large vers la pointe du triangle. Maintenir avec des cure-dents et servir chaud ou froid.

BOULETTES DE POIS CHICHES
FALAFEL

Pour environ 25 à 30 boulettes

Spécialité traditionnellement israélienne, le *falafel* se consomme dans l'ensemble du Moyen-Orient et figure sur tous les menus des restaurants libanais. Pour le rendre plus consistant, on peut le préparer uniquement avec du pain (sans boulghour).

- *75 g de pain arabe (khoubz) ou de pitta, détaillés en lanières*
- *75 g de boulghour fin*
- *400 g de pois chiches en conserve, rincés et égouttés*
- *3 gousses d'ail, écrasées*
- *1 petit oignon, haché*
- *1 cuil. à café de poivron*
- *rouge écrasé*
- *2 cuil. à café de coriandre ciselée*
- *1 cuil. à café de jus de citron*
- *1 cuil. à café de cumin en poudre*
- *Sel et poivre fraîchement moulu*
- *Huile pour la friture*

Laisser tremper le pain 15 minutes dans un saladier. Couvrir le boulghour d'eau dans un autre saladier et laisser reposer également 15 minutes.

Pendant ce temps, dans un robot équipé d'un couteau en métal, réunir les pois chiches, l'ail, l'oignon, les épices et le jus de citron. Mixer jusqu'à l'obtention d'une préparation homogène.

Égoutter le pain et le boulghour. Extraire l'excès de liquide en serrant à travers un morceau de mousseline ou de tissu fin. Ajouter le pain dans la préparation aux pois chiches et mixer jusqu'à ce qu'elle devienne lisse. Mettre la préparation dans un saladier. Incorporer le boulghour, saler, poivrer et malaxer soigneusement avec les mains. Façonner sous forme de petites boulettes de la taille de noix, disposer sur du papier sulfurisé et laisser 2 heures au réfrigérateur — en couches superposées si nécessaire.

Faire chauffer l'huile dans une poêle jusqu'à ce qu'elle commence à fumer (190 °C). Faire dorer les boulettes pendant 4 minutes, puis égoutter sur du papier absorbant.

Servir les *falafel* chauds avec du *Taratour bi Tahini* (p. 106) ou de la sauce au yaourt et au concombre (p. 108).

CROÛTES DE FROMAGE
KALLAJE

Pour 12 portions

Cette recette est une variante du fromage grillé, servi sur de la pitta chaude dans les restaurants libanais, grecs et turcs, et qui manque souvent de saveur. Ici, les parfums des différents ingrédients s'associent à merveille.

- *3 cuil. à soupe de* samné *ou de beurre fondus*
- *6 pittas fraîches*
- *675 g de fromage (Kasseri ou Halloumi), râpé*
- *1 gousse d'ail, finement hachée*
- *1 cuil. à café de marjolaine fraîche, finement hachée*
- *120 ml de jus de citron frais*

Enduire légèrement deux moules à muffin de beurre ou de *samné*. Dans chaque pitta, découper deux cercles aux dimensions des moules. Remplir chaque moule d'un morceau de pain et badigeonner avec le reste de beurre ou de *samné*.

Réunir dans un saladier le fromage, l'ail, la marjolaine et le jus de citron. Prendre des morceaux de cette préparation et poser sur la pitta.

Mettre les moules dans le four préchauffé à 200 °C (thermostat 6), et faire cuire environ 10 minutes, jusqu'à ce que le fromage commence à dorer. Servir aussitôt.

FEUILLETÉS D'AGNEAU
SAMBOUSEK

Pour environ 25 feuilletés

La recette suivante se prépare avec la garniture traditionnelle, à base de viande. Elle peut être remplacée par une garniture au fromage, comme dans les *baklava* salés. Dans ce cas, substituer aux tomates 2 à 3 cuil. à soupe d'aneth ou de menthe.

- ◆ 175 g de farine
- ◆ Sel
- ◆ 1 cuil. à soupe d'huile de tournesol
- ◆ 1 oignon, finement haché
- ◆ 1 gousse d'ail, finement hachée
- ◆ 375 g d'agneau haché
- ◆ Sel et poivre fraîchement moulu
- ◆ 1 cuil. à soupe d'épices libanaise (p. 16)
- ◆ 2 cuil. à soupe de pignons de pin
- ◆ 2 cuil. à soupe de menthe ciselée
- ◆ 1 cuil. à café de sucre
- ◆ 2 cuil. à soupe de jus de citron
- ◆ 1 œuf, battu
- ◆ Huile pour la friture
- ◆ 120 ml d'eau chaude

Tamiser la farine et le sel dans un saladier. Verser l'eau lentement, en mélangeant avec un couteau. Travailler ensuite la préparation avec les mains. Pétrir pendant 5 minutes sur un plan de travail fariné pour obtenir une consistance homogène. Envelopper dans du film alimentaire et laisser 30 minutes au réfrigérateur.

Faire rissoler l'ail et l'oignon dans de l'huile chaude, dans une poêle. Ajouter l'agneau et faire dorer uniformément. Vider le fond de cuisson avant d'incorporer les pignons de pin, le sel, le poivre, les épices, la menthe et le sucre. Poursuivre la cuisson pendant 2 à 3 minutes, puis retirer du feu. Arroser de jus de citron. Pour confectionner les feuilletés, diviser la pâte en 25 boulettes. Étaler en forme de disques sur une surface farinée, poser au milieu un peu de garniture, humidifier les bords avec de l'œuf battu, puis replier la pâte sur la garniture. Décorer les bords avec une fourchette. Faire chauffer l'huile. Lorsqu'elle commence à fumer (190 °C), déposer 3 à 4 feuilletés et faire dorer. Les sortir avec une écumoire, puis poser sur du papier absorbant. Réchauffer l'huile et procéder de même avec le reste de feuilletés (en ajoutant si nécessaire un peu d'huile). Garder au chaud jusqu'au moment de servir. Les feuilletés peuvent se conserver au réfrigérateur ou au congélateur, et être réchauffés avant de servir.

Restaurant moderne près d'un pont ancien, Jezir El Khadi

BAKLAVA SALÉS

Pour 6 personnes

Ces préparations à l'oignon et au fromage constituent de délicieux en-cas pour l'apéritif. Introduites par les résidents italiens au Liban, les tomates séchées se marient parfaitement au fromage. Ces *baklava* peuvent se déguster froids, mais de préférence chauds.

- ◆ *175 g de* samné *(p. 14) ou de beurre*
- ◆ *2 oignons, finement hachés*
- ◆ *2 gousses d'ail, finement hachées*
- ◆ *$1/4$ de cuil. à café de marjolaine séchée*
- ◆ *$1/4$ de cuil. à café de thym séché*
- ◆ *225 g de feta*

- ◆ *225 g de* labné *(p. 53)*
- ◆ *2 œufs*
- ◆ *2 cuil. à soupe de lait*
- ◆ *50 g de tomates séchées au soleil, à l'huile, égouttées et finement hachées*
- ◆ *Sel et poivre fraîchement moulu*
- ◆ *225 g de pâte filo (feuilles de 20 x 30 cm)*

Faire chauffer 2 cuil. à soupe de beurre ou de *samné*. Ajouter les oignons et faire rissoler pendant 5 minutes en remuant. Incorporer l'ail, les herbes, puis poursuivre la cuisson jusqu'à ce que les oignons soient dorés. Mettre dans un saladier.

Mélanger les deux fromages et les œufs à la préparation précédente. Ajouter le lait, puis les tomates et l'assaisonnement. Fouetter pour bien mélanger.

Faire fondre le reste de beurre ou de *samné* à feu moyen. Étaler les feuilles de pâte filo et couvrir avec un tissu humide pour éviter qu'elles ne sèchent pendant la confection des *baklava*. Beurrer le fond d'un plat à four (il doit être suffisamment grand pour accueillir les feuilles de pâte filo). Étaler deux feuilles de pâte dans le plat et humecter de *samné* fondu. Poser dessus deux autres feuilles et enduire de *samné*. Continuer jusqu'à utilisation de la moitié de la pâte.

Étaler régulièrement la garniture au fromage sur la pâte. Couvrir avec deux feuilles de pâte filo, badigeonner de *samné* et ajouter deux autres feuilles. Continuer jusqu'à utilisation complète des feuilles de pâte filo. Enduire généreusement le dessus de samné, puis découper la préparation en petits losanges.

Faire cuire 45 minutes dans le four préchauffé à 200 °C (thermostat 6), jusqu'à ce que le dessus soit doré et la garniture cuite. Laissez refroidir légèrement, puis découper de nouveau les portions et servir.

SALADE DE CHOU LIBANAISE
SALAT MALFOUF

Pour 6 à 8 personnes

Cette salade de chou, très parfumé à l'ail, complète à merveille les grillades.

- ◆ *2 gousses d'ail*
- ◆ *120 ml d'huile d'olive*
- ◆ *1 petit chou blanc (environ 375 g), épluché et détaillé en lanières*
- ◆ *120 ml de jus de citron frais*

- ◆ *1 cuil. à café de sel*
- ◆ *3 cuil. à soupe de menthe fraîche, ciselée*
- ◆ *3 cuil. à soupe de graines de carvi*

Écraser l'ail et le sel avec un mortier et un pilon. Incorporer lentement le jus de citron. Mettre la sauce dans un grand saladier et verser progressivement l'huile d'olive, jusqu'à l'obtention d'un mélange homogène.

Ajouter le chou, la menthe, les graines de carvi, puis remuer délicatement. Servir aussitôt.

CALMARS FRITS AUX AMANDES

Pour environ 25 portions

Les calmars sont très prisés des Méditerranéens, notamment des Libanais. Ce croustillant *meze* s'accompagne parfaitement de sauce aux amandes (p. 95).

- ◆ *450 g de corps de calmars, nettoyés, rincés et essuyés*
- ◆ *75 g de farine*
- ◆ *Sel et poivre fraîchement moulu*
- ◆ *Poivre de Cayenne*
- ◆ *2 œufs*
- ◆ *Huile pour la friture*
- ◆ *75 g de boulghour fin, mis à égoutter toute la nuit dans une passoire doublée de tissu, après l'avoir trempé dans l'eau*
- ◆ *50 g d'amandes mondées, hachées*

Détailler les corps de calmars en anneaux avec un couteau pointu, puis réserver.

Dans une assiette, mélanger la farine avec le sel, le poivre et un peu de poivre de Cayenne. Mettre le boulghour dans une autre assiette et incorporer les amandes. Casser les œufs dans un saladier, puis fouetter vigoureusement.

Prendre les anneaux de calmars séparément et saupoudrer de farine. Plonger dans l'œuf battu avant d'enrober de préparation au boulghour. Poser en une seule couche dans un plat et laisser 1 heure au réfrigérateur.

Faire dorer les calmars dans l'huile chaude et garder au chaud jusqu'au moment de servir.

BOULETTES DE POISSON FARCIES
KIBBÉ SAMAK

Pour environ 20 boulettes

Dans les ports de Sidon et de Tyr, les boulettes de poisson remplacent souvent les traditionnels *kibbé* d'agneau. Dans cette recette, la garniture est à base de fruits secs.

- ◆ *50 g de boulghour fin*
- ◆ *1 gros oignon, haché*
- ◆ *675 g de filets de poisson à chair blanche, sans la peau*
- ◆ *2 cuil. à soupe de jus de citron*
- ◆ *Sel et poivre fraîchement moulu*

Garniture
- ◆ *1 gros oignon, finement*

- *haché*
- ◆ *1 cuil. à soupe d'huile*
- ◆ *3 cuil. à soupe de coriandre finement ciselée*
- ◆ *50 g d'abricots secs, hachés*
- ◆ *25 g de dattes finement hachées*
- ◆ *Huile pour la friture*
- ◆ *Quartiers de citron*
- ◆ *Eau glacée*

Laisser tremper le boulghour pendant 10 minutes dans de l'eau froide.

Mettre l'oignon dans un robot équipé d'un couteau en métal. Mixer jusqu'à ce qu'il soit bien haché, puis ajouter les filets de poisson et continuer de mixer pour obtenir une préparation homogène.

Boulettes de poisson farcies

Verser le jus de citron, assaisonner et mixer jusqu'à ce qu'elle devienne lisse.

Égoutter le boulghour dans un tamis doublé d'une mousseline ou d'un tissu fin. Extraire ensuite l'excès de liquide en serrant les extrémités du tissu. Ajouter le boulghour en plusieurs fois dans la préparation au poisson, en mixant à chaque fois pour obtenir une pâte malléable. Mouiller si nécessaire avec de l'eau glacée.

Pour préparer la garniture, faire blondir l'oignon dans l'huile. Incorporer la coriandre, les abricots et les dattes. Réserver.

Avec les mains humides diviser la préparation au poisson en 20 portions, puis façonner sous forme de boulettes. Creuser une cavité au centre avec l'index et remplir de garniture. Fermer l'extrémité et régulariser la forme.

Faire dorer quelques boulettes à la fois dans l'huile chaude, puis égoutter sur du papier absorbant. Servir chaud ou à température ambiante, avec des quartiers de citron. Ces boulettes peuvent se garder au réfrigérateur ou au congélateur, et être réchauffées si nécessaire.

Les *kibbé* peuvent s'agrémenter de *Taratour bi Tahini* (p. 106) ou de sauce au yaourt (p. 108).

SAUCE AU FROMAGE FRAIS
LABNÉ

Pour 1 l

Préparée généralement avec du yaourt au lait de chèvre, cette sauce douce et savoureuse est indissociable de la table libanaise. Servant d'accompagnement aux *meze*, elle se transforme en hors-d'œuvre lorsqu'on y ajoute des ingrédients tels que concombres, oignons, poivrons ou piments hachés.

- ◆ *1,15 l de yaourt nature (si possible à base de lait de chèvre ou de brebis)*
- ◆ *1 cuil. à café de sel*

- ◆ *1 cuil. à soupe d'huile d'olive*
- ◆ *Paprika*

Mélanger soigneusement le yaourt et le sel dans un saladier. Doubler une passoire avec une mousseline ou un morceau de tissu fin. Égoutter un peu le yaourt, puis nouer les extrémités du tissu et laisser suspendu au robinet, au-dessus de l'évier, pendant 12 heures ou toute la nuit.

Pour servir, mettre le fromage dans un saladier. Dessiner des spirales à la surface, arroser d'huile d'olive et saupoudrer de paprika. Servir accompagné de pain arabe (*khoubz*) ou de pitta.

SALADE DE RIZ AUX PISTACHES

Pour 6 personnes

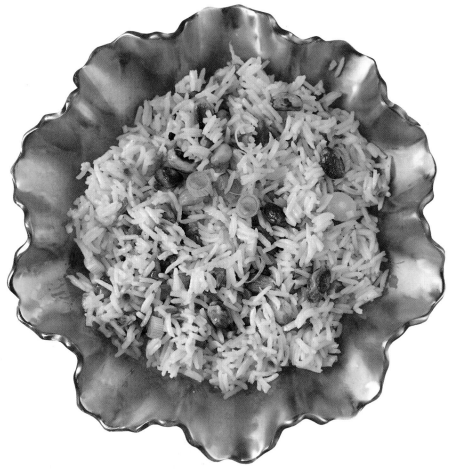

Cette salade, originaire de l'Iran et de la frontière est, se prépare avec du riz. Contrairement au boulghour, denrée de base au Liban, le riz est considéré comme un produit de luxe réservé aux habitants des grandes métropoles. (Cette salade est particulièrement délicieuse avec 4 cuil. à soupe d'huile de pistache à la place de l'huile d'olive. On la trouve chez certains traiteurs, mais à un prix élevé).

- ◆ *375 g de riz à long grain*
- ◆ *5 cuil. à soupe d'huile d'olive*
- ◆ *Sel et poivre fraîchement moulu*
- ◆ *3 cuil. à soupe de jus de citron frais*
- ◆ *1 cuil. à café de zeste de citron râpé*
- ◆ *1 cuil. à café de pépins de grenade*
- ◆ *3 cuil. à soupe de persil plat finement ciselé*
- ◆ *4 oignons nouveaux, finement hachés*
- ◆ *50 g de pistaches décortiquées*

Faire rissoler le riz dans 1 cuil. à soupe d'huile d'olive, en remuant pour bien l'enrober. (Si l'assaisonnement est remplacé par de l'huile de pistache, faire revenir le riz dans l'huile de tournesol). Lorsque le riz est transparent, saler, couvrir d'eau bouillante et porter à ébullition. Réduire le feu et laisser frémir 5 minutes à couvert, puis laisser le riz reposer pendant 25 minutes hors du feu, jusqu'à ce qu'il ait absorbé toute l'eau et qu'il soit tendre. (Mouiller si nécessaire avec un peu d'eau bouillante s'il n'est pas cuit. Remuer, puis laisser encore 5 minutes.) Faire sécher et refroidir dans un saladier de service.

Mélanger le jus de citron et le reste d'huile d'olive (ou l'huile de pistache) dans un petit saladier. Assaisonner avant d'incorporer le zeste de citron et les pépins de grenade. Réserver la préparation.

Ajouter dans le riz le persil, les oignons et les pistaches. Verser l'assaisonnement au citron. Couvrir et laisser au moins 2 heures au réfrigérateur avant de servir.

BEIGNETS DE COURGETTES
AGGA BI KOUSA

Pour 25 à 30 *agga*

Contrairement aux *agga* précédents (p. 46), ceux-ci s'apparentent davantage à des beignets qu'à de l'omelette. Ils sont légers et constituent un accompagnement parfait pour l'apéritif, ainsi qu'un délicieux *meze*.

- 6 *petites courgettes, lavées, épluchées et coupées grossièrement*
- 100 g de beurre coupé en dés
- 175 ml d'eau
- 2 gousses d'ail, finement hachées
- 100 g de farine
- 4 œufs
- 3 cuil. à soupe de persil finement ciselé
- ¼ de cuil. à café de poivre de Cayenne
- Sel et poivre fraîchement moulu
- Huile pour la friture

Cuire les courgettes à la vapeur ou dans une casserole avec un peu d'eau. Retirer du feu lorsqu'elles sont tendres, puis écraser sous forme de purée. Réserver.

Réunir le beurre, l'eau et l'ail dans une casserole et porter à ébullition.

Verser la farine en une seule fois et mélanger avec une cuillère en bois, jusqu'à ce que la pâte se détache des parois de la casserole. Mettre dans un saladier, puis incorporer les œufs un à un. Ajouter les courgettes, le persil, le poivre de Cayenne, le sel et le poivre.

Faire chauffer l'huile dans une sauteuse. Déposer quelques cuillerées à café de préparation et faire dorer pendant 5 minutes. Retirer avec une écumoire pour égoutter sur du papier absorbant. Garder les beignets au chaud pendant la cuisson des autres. Servir chaud avec des quartiers de citron ou de la sauce au yaourt (p. 108).

SALADE DE BOULGHOUR ET D'HERBES
TABOULÉ

Pour 6 personnes

Spécialité libanaise la plus connue à l'étranger, cette salade figure désormais au menu des pique-niques et repas d'été en Occident. Toutefois, le vrai taboulé contient davantage d'herbes que de céréales, contrairement à ce qui se pratique en Occident.

- 175 g de boulghour moyen
- Le jus de 2 citrons
- 300 g de persil plat finement ciselé
- 200 g de menthe finement ciselée
- 2 cuil. à soupe d'oignon nouveau finement haché
- 1 cuil. à café de sel
- 60 ml d'huile d'olive
- 3 tomates olivettes, épépinées et concassées
- ½ de concombre épépiné et finement émincé
- Sel et poivre fraîchement moulu

Couvrir le boulghour d'eau bouillante salée et laisser tremper pendant 10 minutes, puis rincer et égoutter soigneusement. Extraire l'excédent de liquide en pressant à travers une mousseline ou un morceau de tissu. Mettre dans un saladier, arroser avec le jus d'un citron et laisser ramollir 1 heure.

Pour préparer la salade, réunir le persil, la menthe, l'oignon, l'huile, la tomate et le concombre dans un grand saladier. Incorporer délicatement le boulghour et mélanger soigneusement. Assaisonner, en ajoutant du citron si nécessaire. Laisser au réfrigérateur avant de servir.

SALADE DE LENTILLES
SALAT AADS

Pour 4 à 6 personnes

Cette salade se prépare avec les lentilles brunes, prisées des paysans. Bien que considérées comme la « nourriture du pauvre », les lentilles occupent une place d'honneur dans la cuisine libanaise et sont en passe de devenir un ingrédient de choix en Occident.

- 225 g de lentilles ayant trempé 1 heure
- 1 piment rouge, écrasé
- 1 cuil. à café de graines de cumin
- 1 feuille de laurier
- 5 cuil. à soupe d'huile d'olive
- Le jus d'un citron
- 2 gousses d'ail, écrasées
- Sel et poivre fraîchement moulu
- 3 cuil. à soupe de persil plat finement ciselé

Égoutter les lentilles et retirer éventuellement les déchets. Rincer à nouveau et mettre dans une casserole. Couvrir d'eau, puis ajouter le piment, les graines de cumin et la feuille de laurier. Porter à ébullition puis laisser frémir 30 minutes à couvert. Égoutter soigneusement.

Mélanger dans un grand saladier l'huile, le jus de citron, l'ail, le sel et le poivre. Incorporer les lentilles chaudes et le persil. Mélanger délicatement, laisser refroidir, puis réserver quelques heures ou toute la nuit au réfrigérateur. (On peut utiliser les restes comme sauce d'accompagnement : écraser en purée, allonger avec de l'huile d'olive et du jus de citron, puis relever de poivre de Cayenne et de coriandre ciselée.)

SALADE DE CONCOMBRES
SALAT KHIYAR

Pour 6 personnes

La consommation d'alcool n'est pas interdite chez les Maronites ni dans les autres communautés chrétiennes, contrairement aux populations arabes du Levant. Le vin, et ici son dérivé, le vinaigre, figurent dans leurs recettes.

- ◆ 2 gros concombres, pelés, coupés en deux, épépinés et finement émincés
- ◆ Sel et poivre fraîchement moulu
- ◆ 8 cuil. à soupe de menthe fraîche finement ciselée
- ◆ 4 cuil. à soupe de persil plat finement ciselé
- ◆ 1 cuil. à café d'eau de fleur d'oranger ou le zeste râpé de ½ orange
- ◆ 120 ml d'huile d'olive
- ◆ 120 ml de vinaigre de vin rouge
- ◆ 5 cuil. à soupe de sucre en poudre

Mettre les tranches de concombre dans une passoire, saler généreusement et laisser dégorger pendant 30 minutes.

Réunir dans un grand saladier le persil et l'eau de fleur d'oranger ou le zeste d'orange. Ajouter l'huile d'olive, le vinaigre, le sucre, et mélanger soigneusement jusqu'à dissolution de ce dernier. Incorporer la menthe.

Sécher les tranches de concombre avec du papier absorbant, puis verser la vinaigrette. Remuer délicatement. Laisser plusieurs heures ou toute la nuit au réfrigérateur avant de servir.

SALADE DE POIS CHICHES
SALAT HOUMOUS

Pour 6 personnes

Cette salade est délicieuse comme entrée ainsi qu'en accompagnement de *kebabs* ou d'autres plats d'agneau.

◆ *6 cuil. à soupe d'huile d'olive*

◆ *1 gros oignon, émincé*

◆ *1 poivron rouge, évidé, épépiné et haché*

◆ *1 cuil. à soupe de thym séché*

◆ *1 gousse d'ail, écrasée*

◆ *½ cuil. à café de graines de cumin*

◆ *3 cuil. à soupe de jus de citron*

◆ *400 g de pois chiches, égouttés et rincés*

◆ *Sel et poivre fraîchement moulu*

◆ *2 œufs durs, en morceaux*

◆ *Persil plat*

Faire rissoler l'ail et l'oignon à feu moyen dans de l'huile chaude. Une ou deux minutes après, ajouter le poivron, le thym et les graines de cumin. Verser le contenu de la poêle, y compris l'huile, dans un grand saladier, puis arroser de jus de citron.

Incorporer les pois chiches dans la préparation, assaisonner et mélanger délicatement les morceaux d'œufs. Dresser dans un saladier de service et décorer de persil.

AUBERGINES AIGRES-DOUCES
BAZINJANE RAHIB

Pour 6 personnes

Ce plat d'aubergines figure souvent sur la table des *meze*. Dépourvu du goût fumé du *moutabel*, il doit son succès au contraste des textures et des saveurs.

- 2 aubergines moyennes, épluchées et détaillées en cubes
- 4 gousses d'ail, écrasées
- 2 gros oignons doux, hachés
- 120 ml d'huile d'olive
- 1 cuil. à café de paprika
- 2 cuil. à café de cumin en poudre
- Sel
- 1 cuil. à soupe de sucre roux
- 3 tomates moyennes, épépinées et concassées
- Le jus d'un citron
- 4 cuil. à soupe de coriandre finement ciselée

Mettre les morceaux d'aubergines dans une passoire et saler généreusement. Laisser dégorger 30 minutes, puis essuyer.

Couvrir un grand plat à four de papier d'aluminium. Réunir dans un saladier les aubergines, l'ail, les oignons, l'huile d'olive, le cumin, le paprika et le sucre. Remuer délicatement pour bien enrober les aubergines d'huile et d'épices. Mettre la préparation dans le plat et faire cuire 40 minutes dans le four préchauffé à 200 °C (thermostat 6), en remuant deux fois. Mélanger les tomates au contenu du plat et arroser

d'huile si nécessaire. Poursuivre la cuisson au four pendant 15 à 20 minutes, jusqu'à ce que les aubergines et les tomates soient tendres.

Dresser dans un grand saladier. Ajouter le jus de citron et la coriandre, puis remuer délicatement. Laisser refroidir à température ambiante ou mettre au réfrigérateur avant de servir.

SALADE DE CONCOMBRE AU YAOURT
KACIK

Pour 6 personnes

Dénommée *tzatziki* en Grèce, cette préparation crémeuse, légèrement acidulée, se consomme dans tout le Moyen-Orient, sous son appellation turque.

- 1 concombre, pelé, coupé en deux, épépiné et coupé en dés
- 2 gousses d'ail, écrasées
- Poivre blanc fraîchement moulu
- 450 ml de yaourt grec
- 4 cuil. à soupe de menthe fraîche finement ciselée
- Sel

Mettre les morceaux de concombre dans une passoire, saupoudrer généreusement de sel et mélanger. Laisser dégorger 30 minutes. Pendant ce temps, réunir dans un saladier l'ail, le yaourt, le poivre et la menthe. Laisser la préparation s'imprégner au réfrigérateur des différentes saveurs.

Essuyer le concombre avec du papier absorbant et mélanger délicatement à la préparation au yaourt. Servir aussitôt.

SALADE DE DATTES ET DE PANAIS

Pour 4 à 6 personnes

Cette salade insolite conjugue une denrée de base paysanne, le panais, et la manne du désert, la datte. Elle complète à merveille les salades de viande (comme celle qui suit) ou les *kebabs*.

- ◆ *24 grosses dattes, dénoyautées*
- ◆ *4 cuil. à café de jus de citron*
- ◆ *6 panais moyens, épluchés et pelés*
- ◆ *1 cuil. à soupe de sucre roux*
- ◆ *120 ml de yaourt grec*

Râper finement les panais dans un grand saladier. Hacher les dattes grossièrement et ajouter aux panais. Réunir dans un petit saladier le jus de citron, le yaourt et le sucre, jusqu'à dissolution de ce dernier.
Verser la sauce sur les panais et les dattes, puis laisser un peu au réfrigérateur avant de servir.

SALADE DE BŒUF ET D'ORGE

Pour 4 à 6 personnes

Le bœuf est beaucoup moins répandu dans la cuisine libanaise que l'agneau, abondant sur les collines arides et les plaines côtières. Mais la demande en bœuf dans les restaurants des villes a abouti à un heureux mélange de saveurs locales et occidentales. L'orge a été introduit par les Turcs et les Arméniens, le sumac par les Syriens.

- ◆ *100 g de poudre de sumac*
- ◆ *4 cuil. à soupe d'huile d'olive*
- ◆ *2 cuil. à soupe de vinaigre de vin rouge*
- ◆ *675 g d'aloyau de 2,5 cm d'épaisseur*
- ◆ *750 ml de bouillon de volaille*
- ◆ *175 g d'orge perlé, rincé et égoutté*
- ◆ *1 oignon rouge, finement haché*
- ◆ *75 g d'amandes effilées, grillées*
- ◆ *225 g de grains de raisin vert, sans pépins, coupés en deux*
- ◆ *Sel et poivre fraîchement moulu*
- ◆ *Cresson*
- ◆ *Tranches de concombre et radis*
- ◆ *Quartiers de citron*
- ◆ *½ cuil. à café de coriandre*

Préparer du jus de sumac en faisant tremper la poudre dans 350 ml d'eau bouillante pendant 20 à 30 minutes. Égoutter, jeter la poudre et mettre le jus dans un bocal. Mélanger dans un saladier l'huile d'olive, le vinaigre et 2 cuil. à soupe de jus de sumac (garder le reste au réfrigérateur ou au congélateur pou un emploi ultérieur). Verser la marinade dans un grand sac en plastique, ajouter la viande, fermer le sac et secouer pour enrober la viande de marinade. Poser le sac dans un saladier et laisser toute la nuit au réfrigérateur.
Faire griller la viande 8 à 10 minutes de chaque côté sur un barbecue ou sous un gril chaud, en arrosant de marinade, jusqu'à ce qu'elle soit cuite à l'extérieur, mais rose à l'intérieur. Laisser refroidir puis garder couvert au réfrigérateur, plusieurs heures ou toute la nuit.
Pendant ce temps, préparer l'orge. Porter à ébullition le bouillon de volaille, verser l'orge, couvrir et laisser frémir 30 minutes jusqu'à ce qu'elle soit tendre. Égoutter, laisser refroidir et garder toute la nuit au réfrigérateur.
Pour composer la salade, détailler la viande en fines lamelles. En réserver quelques-unes et mettre le reste dans le saladier. Ajouter l'orge, l'oignon, les amandes, les raisins et la coriandre. Mouiller la salade avec un peu de marinade, saler, poivrer, puis dresser sur un lit de cresson. Disposer dessus les morceaux de bœuf réservés et décorer de tranches de concombre, de radis et de quartiers de citron.

Salade de dattes et de panais

SALADE DE MELON À LA CARDAMOME

Pour 6 personnes

Cette salade peut se préparer avec n'importe quelle variété de melon, mais elle est particulièrement savoureuse avec des charentais ou des cantaloups. Elle peut se consommer comme accompagnement sucré du plat principal — notamment à base d'agneau — ou comme dessert.

- 150 ml de yaourt grec
- 1 cuil. à café ½ de miel
- 75 ml de jus de citron jaune ou vert
- 2 oignons moyens, pelés, épépinés et détaillés en dés
- ½ cuil. à café de cardamome en poudre

Mélanger soigneusement le yaourt, la cardamome, le miel et le jus de citron dans un petit saladier. Mettre les morceaux de melon dans un saladier de service, verser la sauce et remuer délicatement. Servir aussitôt.

SALADE DE PAMPLEMOUSSE ET D'AVOCAT

Pour 6 personnes

Servie avec de la sauce à la mandarine ou une vinaigrette au citron, cette salade peut constituer une délicieuse entrée ou accompagner une salade à base de viande. D'inspiration israélienne, elle était auparavant très prisée dans les hôtels florissants de Beyrouth.

- 2 pamplemousses roses, pelés, sans la pellicule blanche, et coupés en quartiers
- 2 gros avocats mûrs, pelés et dénoyautés, coupés en dés
- 120 ml de sauce à la mandarine (p. 112) ou de vinaigrette classique (p. 107)
- 2 cuil. à soupe d'amandes effilées, grillées

Réunir les morceaux de pamplemousse et d'avocat dans un saladier de service. Verser dessus l'assaisonnement, puis remuer délicatement. Parsemer dessus les amandes grillées et servir aussitôt.

COURGETTES AIGRES-DOUCES
KOUSA BÉ ZEÏT

Pour 6 personnes

Apparentée à l'aubergine, la courgette n'est pas aussi populaire au Liban. Toutefois, cette salade cuite séduira les palais, comme *meze* ou en accompagnement. Ici, elle est assaisonnée de vinaigre et de jus de citron, mais on peut utiliser ce dernier seul pour donner une tonalité plus arabe à la préparation.

- *1 oignon rouge, haché*
- *900 g de courgettes, grattées, épluchées et coupées en fins bâtonnets de 5 cm*
- *2 cuil. à soupe de vinaigre de vin blanc*
- *2 cuil. à soupe de jus de citron*
- *120 ml d'huile d'olive*
- *2 cuil. à soupe de sucre en poudre*
- *1 cuil. à café de graines de coriandre*
- *1 cuil. à café de graines d'aneth*
- *½ cuil. à café de cannelle*
- *Sel et poivre*
- *2 cuil. à soupe de pignons de pin, grillés*
- *2 cuil. à soupe de raisins de Corinthe*

Faire rissoler doucement l'oignon pendant 5 minutes dans l'huile chaude. Ajouter les courgettes et poursuivre la cuisson pendant 10 minutes, jusqu'à ce qu'elles ramollissent. Verser le vinaigre et le jus de citron, puis incorporer le sucre, la coriandre, les graines d'aneth, la cannelle, le sel et le poivre. Laisser frémir 5 minutes, avant de mélanger les pignons de pin et les raisins de Corinthe. Faire mijoter 4 à 5 minutes de plus, jusqu'à ce que le liquide soit en partie réduit.

Garder plusieurs heures ou toute la nuit au réfrigérateur avant de servir.

SALADE DE BETTERAVES
SALAT BANGAR

Pour 4 à 6 personnes

L'association du yaourt et de la betterave évoque les cuisines russe et polonaise, qui remplaceraient toutefois le yaourt par de la crème fraîche. L'huile et le cumin sont typiques des pays du Levant, tandis que la ricotta apporte sa riche texture.

- ◆ 2 cuil. à soupe d'huile d'olive
- ◆ 2 cuil. à soupe de jus de citron
- ◆ 250 ml de yaourt grec
- ◆ ½ cuil. à café de graines de cumin

- ◆ 50 g de ricotta (facultatif)
- ◆ 450 g de betteraves cuites, émincées
- ◆ Feuilles de menthe ciselées
- ◆ Sel et poivre fraîchement moulu

Battre l'huile et le jus de citron avec une fourchette dans un grand saladier. Ajouter le yaourt et les graines de cumin. Incorporer éventuellement la ricotta en l'écrasant à la fourchette. Assaisonner avant de mélanger la betterave.

Dresser la salade dans un plat de service et décorer de feuilles de menthe ciselées. Mettre au réfrigérateur ou servir aussitôt.

POISSON

SAMAK

MOULES OU PALOURDES À LA MODE DE TYR

Pour 4 à 6 personnes

Tyr était renommée jadis pour sa teinture pourpre, exclusivité des aristocrates romains, que l'on obtenait en écrasant des coquilles de bulots. Ceux-ci figuraient parmi les nombreux fruits de mer — moules, palourdes, crevettes et langoustes — qui prenaient place sur les tables tyréennes, mais étaient également acheminés vers l'intérieur du pays. La tradition se perpétue de nos jours.

- ◆ 1 gousse d'ail, écrasée
- ◆ 1 petit oignon rouge, finement émincé
- ◆ 250 ml de vin blanc
- ◆ 900 g de palourdes ou de petites moules
- ◆ 4 tomates olivettes, pelées, épépinées et concassées
- ◆ 2 cuil. à soupe de jus de citron
- ◆ 1 cuil. à soupe de beurre ou de samné
- ◆ 1 cuil. à soupe de coriandre fraîche finement ciselée

Réunir dans une casserole le vin, l'ail et l'oignon. Porter à ébullition, laisser frémir 2 minutes, puis ajouter les moules ou les palourdes. Faire bouillir de nouveau, baisser le feu et poursuivre la cuisson pendant 5 minutes à couvert et à feu doux, jusqu'à ce que les coquillages s'ouvrent. Jeter ceux qui restent fermés.
Dresser sur un plat de service et garder au chaud. Incorporer les tomates dans le liquide de cuisson, puis écraser. Porter à ébullition et réduire légèrement. Juste avant de servir, ajouter le jus de citron, le beurre ou *samné* et la coriandre. Verser sur les coquillages et servir aussitôt, accompagné de *khoubz* (pain arabe) ou de pitta.

SALADE DE THON

Pour 6 à 8 personnes

Le thon frais utilisé sur les côtes libanaises peut être remplacé par du thon en conserve. Cette recette change agréablement des salades de thon traditionnelles, et peut servir à garnir de la pitta ou du *khoubz*.

- 3 poivrons rouges moyens
- 2 gousses d'ail, écrasées
- Sel et poivre fraîchement moulu
- 3 cuil. à soupe de jus de citron
- 120 ml d'huile d'olive
- 1 gros oignon rouge, finement haché
- 2 cuil. à soupe de coriandre fraîche finement ciselée
- 100 g d'olives noires dénoyautées, émincées
- 2 œufs durs, coupés en petits morceaux
- 400 g de thon en conserve, naturel ou à l'huile
- Quartiers de citron

Poser les trois poivrons sur une grille, sous le gril chaud, et faire cuire jusqu'à ce que la peau noircisse et se boursoufle, en les retournant de temps en temps. Laisser reposer ensuite 15 minutes dans un sac en papier ou en plastique.

Pendant ce temps, écraser l'ail avec un peu de sel dans un grand saladier. Verser le jus de citron, puis l'huile d'olive en mince filet, pour obtenir un mélange homogène. Ajouter l'oignon et la coriandre.

Sortir les poivrons du sac et peler. Retirer les graines et les membranes, puis détailler la chair en lamelles fines. Incorporer à la sauce, couvrir et laisser 1 heure au réfrigérateur.

Mélanger délicatement les olives, les œufs et le thon effeuillé. Dresser sur un plat de service et décorer de quartiers de citron.

POISSON AUX PISTACHES
SAMAK BI PISTACHIO

Pour 6 personnes

Pour réaliser ce mets, les Libanais choisissent du poisson à chair blanche, mérou ou dorade (*farridé*). On peut les remplacer par de la brème, de la sole ou du bar.

- 50 g de chapelure
- 100 g de pistaches décortiquées, finement hachées et écrasées
- 3 cuil. à soupe de persil plat finement ciselé
- Sel et poivre fraîchement moulu
- 2 œufs
- 6 x 175 g de filets de poisson à chair blanche
- 75 g de samné ou de mélange de beurre et d'huile d'olive
- Le jus de 2 oranges
- Quartiers d'oranges
- Pistaches hachées, grillées

Mélanger dans une grande assiette la chapelure, les pistaches écrasées, le persil et l'assaisonnement. Battre deux œufs dans un saladier.

Plonger les filets de poisson dans l'œuf. Égoutter légèrement, puis enrober les deux côtés de préparation aux pistaches, en laissant tomber l'excédent.

Faire chauffer dans une grande poêle la moitié du *samné* ou du mélange d'huile et de beurre. Laisser rissoler les filets 5 minutes de chaque côté, en les retournant une fois avec une spatule. Garder au chaud pendant la cuisson des autres filets.

Avant de servir, dégraisser la poêle avec le jus d'orange. Dresser les filets sur un plat de service, verser le fond de cuisson et servir, décoré de pistaches grillées et de quartiers de citron.

POISSON AU RIZ
SAYADIYÉ

Pour 6 personnes

Ce mets, l'un des plats de poisson arabes les plus répandus, figure souvent au menu des restaurants libanais. Chaque chef le prépare à sa manière : certains cuisent le poisson à la poêle, d'autres à la cocotte ; les oignons sont présentés entiers ou écrasés ; la décoration varie également.

- *100 g de farine*
- *Sel et poivre fraîchement moulu*
- *Une grosse pincée de piment en poudre*
- *6 x 175 g de filets de poisson à chair blanc — dorade, brème, cabillaud ou flétan*
- *250 ml d'huile d'olive*
- *4 oignons, hachés*
- *1 cuil. à café de cumin en poudre*
- *Le jus de 2 citrons*
- *450 g de riz à long grain*
- *2 cuil. à soupe d'amandes effilées, grillées*
- *Persil plat, ciselé*

Réunir dans une grande assiette la farine, le sel, le poivre et une pincée de piment, puis mélanger avec les mains. Enrober les filets de cette préparation, laisser tomber l'excédent et réserver.

Faire chauffer 3 cuil. à soupe d'huile dans une grande cocotte et laisser rissoler trois filets pendant 8 à 10 minutes, en les retournant une fois. Sortir le poisson,

ajouter un peu d'huile, puis faire cuire les autres filets. Couvrir le poisson de papier d'aluminium et garder dans le four, à chaleur douce.

Verser le reste d'huile dans la cocotte, ajouter les oignons et faire blondir à feu moyen. Mouiller avec 4 à 5 cuillerées d'eau, porter à ébullition, couvrir, puis réduire le feu. Faire cuire 10 minutes, jusqu'à ce que les oignons forment une compote. Mettre dans un mixeur ou un robot, et mixer en plusieurs fois pour obtenir une purée homogène.

Remettre la moitié de la préparation dans la cocotte, ajouter le sel, le jus d'un citron et le riz. Mouiller si nécessaire avec un peu d'eau. Porter à ébullition, faire cuire quelques minutes à feu vif et à couvert, puis réduire et poursuivre la cuisson à feu doux pendant 10 minutes. Sortir le riz, couvrir et laisser reposer 10 minutes.

Pendant ce temps, mettre le reste de la préparation à l'oignon dans une petite casserole, verser le reste de jus de citron et réduire le liquide de moitié à feu vif.

Dresser le riz en forme de monticule sur un plat de service chaud. Disposer les filets de poisson autour et verser dessus la sauce à l'oignon. Saupoudrer d'amandes et de persil avant de servir.

Mosaïque romaine, à Baalbek

SARDINES GRILLÉES

Pour 4 personnes

Les sardines grillées sont prisées sur toutes les côtes méditerranéennes, y compris celles du Liban. Le secret de leur réussite tient à la fraîcheur du poisson et à la méthode de cuisson — il doit griller sur des braises bien chaudes. Le gril du four peut toutefois remplacer le barbecue.

- ◆ *8 petites sardines fraîches, vidées, nettoyées et écaillées*
- ◆ *75 ml d'huile d'olive*
- ◆ *Le jus d'un citron*
- ◆ *1 cuil. à café de cardamome en poudre*
- ◆ *2 cuil. à soupe de persil plat finement ciselé*
- ◆ *Sel et poivre fraîchement moulu*
- ◆ *Morceaux de citron*

Laver le poisson sous l'eau courante, en grattant soigneusement les écailles. Rincer également l'intérieur, puis essuyer avec du papier absorbant.

Mélanger dans un saladier l'huile, le jus de citron, la cardamome et le persil. Étaler sur les sardines et introduire à l'intérieur. Saler et poivrer.

Faire cuire les sardines 3 minutes sous le gril chaud, en les arrosant d'huile. Laisser jusqu'à ce que la peau noircisse et que la chair devienne blanche et se détache facilement avec une fourchette.

Dresser sur un plat chaud et verser le reste d'huile sur les sardines. Servir avec des morceaux de citron.

CALMARS À LA MENTHE ET AUX CONCOMBRES

Pour 6 personnes

Comme toutes les cuisines méditerranéennes, celle du Liban fait un large usage de deux richesses de la mer — le poulpe et le calmar. Cette salade estivale peut se compléter d'autres produits de la mer.

- *1,5 kg de petits calmars nettoyés, détaillés en anneaux et en lamelles*
- *250 ml de fumet de poisson*
- *250 ml de vin blanc sec*
- *4 oignons nouveaux, finement hachés*
- *2 concombres pelés, coupés en deux, épépinés et finement émincés*
- *18 tomates cerises, coupées en deux*
- *Feuilles de laitue*

Sauce
- *1 cuil. à soupe de jus de citron*
- *1 gousse d'ail, écrasée*
- *½ cuil. à café de sucre en poudre*
- *1 cuil. à café de moutarde*
- *120 ml d'huile d'olive*
- *Une grosse pincée de poivre de Cayenne*
- *½ cuil. à café de cumin en poudre*
- *1 cuil. à soupe de feuilles de menthe finement ciselées*
- *250 ml de yaourt grec*

Réunir dans une grande casserole les calmars, le fumet de poisson et le vin. Porter à ébullition, couvrir et laisser frémir 40 minutes, en remuant de temps en temps. Égoutter les calmars, essuyer, puis laisser refroidir.

Pendant ce temps, préparer la sauce. Mélanger dans un grand saladier le jus de citron, l'ail, le sucre et la moutarde. Verser l'huile en filet et fouetter pour obtenir une préparation homogène. Ajouter le poivre de Cayenne, le cumin et les feuilles de menthe. Mélanger soigneusement le yaourt.

Incorporer les calmars dans le saladier et remuer délicatement. Laisser 2 à 3 heures au réfrigérateur. Avant de servir, ajouter les oignons, les concombres et les tomates, puis dresser sur des feuilles de laitue.

POISSON SAUCE AU SÉSAME
SAMAK BI TAHINI

Pour 6 personnes

Le *tahini* (beurre de sésame) s'achète dans les épiceries orientales. La sauce confectionnée avec le *tahini* et dénommée *taratour* n'a rien à voir avec le *taratour* à base de pignons de pin (p. 104). Le *taratour* au sésame utilisé dans cette recette accommode généralement du poisson ou du chou-fleur cuits au four.

- ◆ *400 ml de* Taratour bi Tahini *(p. 106)*
- ◆ *120 ml d'huile d'olive*
- ◆ *2 gros oignons, finement émincés*
- ◆ *6 filets de poisson à chair blanche (brème, marou, barbue, bar)*
- ◆ *Sel et poivre fraîchement moulu*

Commencer par préparer le *taratour* et réserver.
Faire chauffer l'huile d'olive dans une poêle. Ajouter les oignons et laisser dorer, en remuant régulièrement.

Préchauffer le four à 180 °C (thermostat 4).
Mettre les oignons dans un grand plat à four. Faire glisser les filets sur les oignons pour les enrober d'huile, puis disposer sur les oignons, la peau sur le dessus. Assaisonner, couvrir de papier aluminium et faire cuire 15 minutes au four. Sortir du papier et laisser éventuellement quelques minutes sous le gril chaud pour faire dorer la peau. Étaler le *taratour* sur le poisson et les oignons. Enfourner de nouveau à la même température et poursuivre la cuisson à découvert pendant 20 à 25 minutes, jusqu'à ce que la sauce commence à bouillonner. Servir avec du riz pilaf.

POISSON EN PAPILLOTE
SAMAK FILFORN

Pour 4 à 6 personnes

Ce mode de cuisson occidental a été adopté avec ferveur par les Libanais, car il convient parfaitement aux poissons méditerranéens ; il leur permet de s'imprégner des épices dont la saveur ressort particulièrement lorsque le poisson est servi froid. Dans ce cas, les Libanais l'accompagnent de *Taratour bi Tahini* (p. 106), de sauce *Nougada* (p. 95), de mayonnaise verte (p. 110) ou de sauce au citron (p. 111).

- ◆ *Le jus de ¹/₂ citron*
- ◆ *1 gousse d'ail, écrasée*
- ◆ *120 ml d'huile d'olive*
- ◆ *2 cuil. à café d'origan*
- ◆ *Sel et poivre fraîchement moulu*
- ◆ *1 bar, 1 brème ou 2 à 3 rougets entiers*
- ◆ *Quartiers de citron (facultatif)*

Écraser l'ail avec le jus de citron, dans un petit saladier, pour obtenir une pâte. Incorporer l'huile d'olive en fouettant, puis l'origan et l'assaisonnement.
Poser le poisson sur une grande feuille de papier d'aluminium et verser de la marinade dessus. Frotter les deux côtés du poisson pour l'en imprégner. Enfermer le poisson dans le papier et laisser 1 à 2 heures au réfrigérateur.
Préchauffer le four à 180 °C (thermostat 4). Ouvrir le papier, verser un peu de marinade et refermer. Poser dans un plat à four et faire cuire 40 à 50 minutes, en fonction du nombre et de la taille des poissons. Vérifier la cuisson en piquant une brochette ou un couteau ; la chair doit être opaque.
Servir chaud avec des quartiers de citron, ou froid — après avoir retiré la peau —, avec l'un des accompagnements mentionnés plus haut.

POISSON FARCI AU FOUR
SAMAK HARRAH

Pour 6 personnes

Cette recette peut donner lieu à diverses interprétations. Originaires d'Iran, les pépins de grenade sont très prisés au Liban. Le poisson à chair blanche est souvent servi froid avec le *Taratour bi Sonoba* (sauce aux pignons de pin) ; le poisson gras se consomme toujours chaud, sans sauce, simplement accompagné de morceaux de citron.

- ◆ *1 bar ou 1 mulet de 1,75 kg, nettoyé, vidé et écaillé (ou 6 x 275 g de maquereaux entiers)*
- ◆ *Sel et poivre fraîchement moulu*
- ◆ *1 petit oignon, finement haché*
- ◆ *½ poivron vert, finement haché*
- ◆ *75 g de pignons de pin*
- ◆ *½ cuil. à café de graines de coriandre écrasées*
- ◆ *25 g de mie de pain*
- ◆ *2 à 3 cuil. à soupe de sultanas*
- ◆ *2 cuil. à soupe de pépins de grenade (facultatif)*
- ◆ *5 cuil. à soupe de persil plat finement ciselé*
- ◆ *4 cuil. à soupe de jus de citron*
- ◆ *Concombre, olives, tomates, poivrons verts, pimento, anchois, œufs durs, pignons de pin grillés (facultatif)*
- ◆ *Morceaux de citron ou* Taratour bi Sonoba *(p. 104 ; facultatif)*
- ◆ *Huile d'olive*

Dans le cas d'un poisson entier à chair blanche, l'enduire généreusement d'huile d'olive, saler, poivrer, puis laisser 1 heure au réfrigérateur.

Dans le cas de maquereaux, ne pas les faire vider par le poissonnier. Couper les têtes, en les laissant attachées par un petit morceau de peau. Sectionner la queue en cassant l'arête principale, puis appuyer sur le poisson d'avant en arrière pour détacher l'arête. Retirer les entrailles avec une cuillère, puis l'arête. Agrandir l'ouverture en appuyant sur les côtés avec la cuillère. Rincer l'intérieur et l'extérieur du poisson, essuyer, puis réserver.

Pour préparer la farce, faire chauffer 3 cuil. à soupe d'huile d'olive. Laisser rissoler l'oignon pendant 5 minutes à feu moyen, en remuant. Ajouter le poivron vert et continuer de remuer, jusqu'à ce qu'il ramollisse et que les oignons changent de couleur. Mélanger les pignons de pin pendant 2 minutes, puis les graines de coriandre et la mie de pain pendant 1 minute. Ajouter hors du feu les sultanas, les pépins de grenade et le persil. Saler, poivrer et mouiller avec 1 cuil. à soupe de jus de citron.

Préchauffer le four à 200 °C (thermostat 6). Farcir le poisson à chair blanche de cette préparation, puis maintenir avec du fil ou de petites brochettes ; remplir les maquereaux par la tête et replacer du mieux que possible. Dresser le poisson sur une plaque de cuisson, verser dessus le reste de jus de citron (et si nécessaire de l'huile sur le poisson à chair blanche).

Mettre le poisson dans le four préchauffé et faire cuire, en couvrant de papier aluminium, pendant 40 à 45 minutes pour le poisson à chair blanche, 30 minutes pour les maquereaux.

Sortir du four. Présenter le maquereau aussitôt avec les morceaux de citron. Le poisson à chair blanche peut être servi chaud, ou froid avec le *taratour*.

Dans ce dernier cas, le poisson s'accompagne de tranches de concombres et de tomates, de rondelles d'olives et d'œufs, de morceaux de poivron, de pimento et d'anchois, ainsi que de pignons de pin grillés.

CITRONS FARCIS AUX SARDINES
HAMID MASHI WI SARDINE

Pour 6 personnes

Traditionnellement réservées aux pauvres comme les lentilles, les sardines figurent désormais parmi les denrées de choix. Mais elles ont toujours été prisées des populations côtières du Liban, simplement grillées (p. 69), ou farcies et cuites au four (voir Poisson farci, p. 72). Dans cette recette, elles sont accommodées de manière insolite et peuvent constituer un plat unique ou une entrée.

- ◆ *3 gros citrons*
- ◆ *2 x 150 g de sardines à l'huile en conserve, égouttées*
- ◆ *3 cuil. à soupe de mayonnaise*
- ◆ *1 cuil. à soupe ½ de moutarde*
- ◆ *1 gros bâton de céleri, finement haché*
- ◆ *4 oignons nouveaux, finement hachés*
- ◆ *2 cuil. à soupe de persil plat finement ciselé*
- ◆ *Sel et poivre fraîchement moulu*
- ◆ *2 cuil. à soupe de pignons de pin, grillés*
- ◆ *Olives vertes, détaillées en morceaux*

Couper les citrons en deux et les presser ; réserver le jus. Prendre chaque moitié et sectionner délicatement l'extrémité pour l'aplatir. Retirer la membrane intérieure avec les doigts, puis poser les moitiés à l'envers pendant quelques minutes.

Pendant ce temps, mettre les sardines dans un saladier. Écraser avec la mayonnaise, la moutarde et 2 cuil. à soupe de jus de citron, jusqu'à obtention d'une consistance homogène. Incorporer le céleri, les oignons et le persil. Assaisonner et mélanger.

Répartir la préparation dans les six moitiés de citrons, régulariser le dessus, puis décorer de pignons de pin et de morceaux d'olives. Laisser une ou deux heures au réfrigérateur et servir avec de la pitta ou du *khoubz* (pain arabe) chauds.

BROCHETTES DE POISSON
SAMAK KEBAB

Pour 6 personnes

Les brochettes sont l'un des mets les plus typiques du Moyen-Orient. Mais celles au poisson se rencontrent principalement sur les côtes. Bien que les kebabs se cuisent habituellement sur des braises chaudes, le gril peut tout aussi bien convenir. Elles s'accompagnent parfaitement de sauce au citron (p. 110).

- ◆ *4 oignons, hachés grossièrement*
- ◆ *Le jus de 3 citrons*
- ◆ *60 ml d'huile d'olive*
- ◆ *Une grosse pincée de poivre de Cayenne*
- ◆ *2 cuil. à café de cumin*
- ◆ *1 cuil. à soupe de coulis de tomates*
- ◆ *2 feuilles de laurier*

- ◆ *900 g de filets de lotte ou de dorade, détaillés en cubes de 2,5 cm*
- ◆ *18 à 24 tomates cerises*
- ◆ *6 petites courgettes, épluchées, grattées et coupées en 3 à 4 morceaux*
- ◆ *Huile d'olive*
- ◆ *Morceaux de citron*

Extraire le maximum de jus des morceaux d'oignon avec un presse ail. Le mélanger dans un saladier avec le jus de citron, l'huile, le poivre de Cayenne, le cumin et le coulis de tomates. Ajouter les feuilles de laurier. Mettre les morceaux de poisson dans un grand saladier et arroser de marinade ; remuer avec les mains. Couvrir et laisser 1 heure au réfrigérateur.

Prendre 6 grandes brochettes ou 12 petites, et enfiler dessus les morceaux de poisson, de courgettes et les tomates cerises. Poser sur des braises chaudes ou sous le gril préchauffé, puis badigeonner d'huile, notamment les légumes. Faire cuire 10 à 15 minutes, en retournant une ou deux fois, jusqu'à ce que le poisson soit opaque et les courgettes tendres. Servir aussitôt avec des morceaux de citron et du riz ou du boulghour.

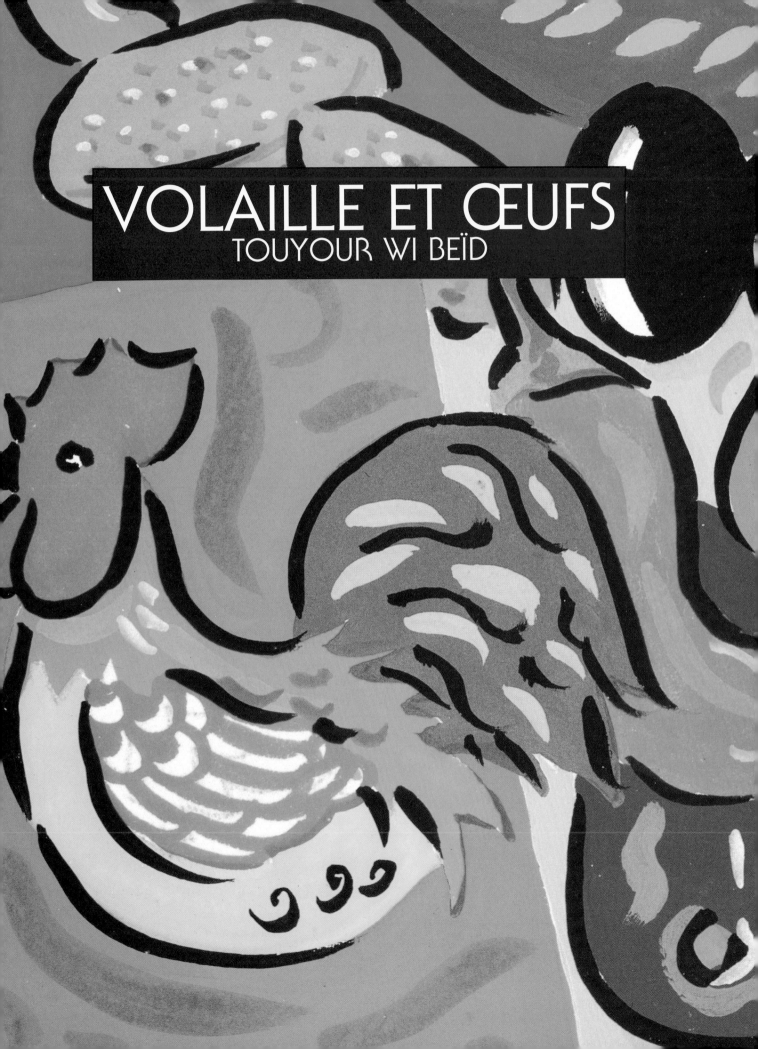

VOLAILLE ET ŒUFS
TOUYOUR WI BEÏD

POULET GRILLÉ À L'AIL
FARROUJE MICHWA

Pour 4 à 6 personnes

Cette recette est excellente avec des coquelets entiers que l'on coupe en deux, que l'on aplatit avec un maillet puis frotte de paprika, avant de les faire mariner. Elle peut également être réalisée avec des morceaux de poulet tendres.

- *3 x 675 g de coquelets, coupés en deux et aplatis, ou 6 à 8 morceaux de poulet*
- *Sel et poivre fraîchement moulu*
- *4 cuil. à soupe de* Taratour bi Sad *(p. 111) ou 3 gousses d'ail, écrasées*
- *1 cuil. à soupe de paprika*
- *3 cuil. à soupe d'huile d'olive*
- *2 à 4 cuil. à soupe de jus de citron*
- *Cresson frais*
- *Quartiers de citron*

Frotter les moitiés de coquelets ou les morceaux de poulet de paprika, sel et poivre, en les répartissant bien. Mélanger dans un bol le *taratour*, l'huile d'olive et 2 cuil. à soupe de jus de citron (ou bien, pour remplacer le *taratour*, écraser l'ail avec l'huile, puis verser 4 cuil. à soupe de jus de citron).

Verser la marinade sur le poulet, en retournant les morceaux. Ajouter si nécessaire un peu d'huile. Couvrir et laisser toute la nuit au réfrigérateur.

Faire griller le poulet sur les braises chaudes. Retourner 3 ou 4 fois, jusqu'à ce qu'il devienne doré et légèrement noir. Compter 20 à 40 minutes, en fonction de la taille des morceaux. Vérifier la cuisson en piquant une brochette dans les parties charnues ; le jus doit être clair (ou bien faire cuire sous le gril du four préchauffé, en retournant de temps en temps).

Servir chaud, sur un lit de cresson, accompagné de morceaux de citron.

AILES DE POULET À L'AIL
JAWANÉ

Pour 6 personnes

La préparation de ce plat s'apparente à celle du *Farrouje Michwa* (p. 76). Mais les ailes de poulet sont très appréciées des Libanais, qu'ils servent souvent comme *meze* ; elles méritent donc de faire l'objet d'une recette spéciale.

- *12 à 18 ailes de poulet, débarrassées des extrémités*
- *2 cuil. à café de paprika*
- *1 cuil. à café de cumin en poudre*
- *3 à 4 gousses d'ail, écrasées*
- *Le jus d'un citron*
- *Sel et poivre fraîchement moulu*
- *60 à 4 à 5 cuil. à soupe d'huile d'olive*
- *120 ml de* Taratour bi Tahini *(p. 106)*

Laver, puis essuyer les ailes de poulet. Les frotter de paprika et de cumin. Écraser l'ail dans un bol avec le sel et le poivre, puis mélanger le jus de citron et l'huile. Verser sur les ailes de poulet, en les retournant pour bien les enrober.

Faire cuire les ailes 20 minutes sur le barbecue chaud, en les retournant et en les arrosant de marinade, jusqu'à ce qu'elles soient dorées et légèrement noircies à l'extérieur (ou bien faire cuire sous le gril du four préchauffé à chaleur moyenne, en retournant les ailes de temps en temps).

Verser un peu de *Taratour bi Tahini* sur les ailes et servir très chaud.

POULET FARCI À LA LIBANAISE
DAJAJ MASHI

Pour 6 personnes

La volaille farcie se consomme dans tous les pays arabes, du Maroc — où la farce se prépare avec du couscous, de la cannelle et des citrons marinés — au Liban et à la Syrie, où l'ingrédient de base, boulghour ou riz, est généralement rehaussé de graines et d'herbes.

- 60 g de beurre ou de samné
- 1 gros oignon, finement haché
- 2 cuil. à soupe de pignons de pin
- 1 cuil. à soupe de raisins secs
- 225 g d'agneau haché
- 225 g de riz à long grain
- Sel et poivre noir fraîchement moulu
- 2 kg de poulet fermier
- 3 cuil. à soupe de yaourt grec
- 1 cuil. à soupe de miel

Faire dorer l'agneau dans 1 cuil. à soupe de beurre chaud, dans une poêle, en remuant. Sortir la viande avec une écumoire, ajouter 1 cuil. à soupe de beurre dans la poêle, ainsi que l'oignon. Faire revenir pendant 5 minutes à feu moyen ; incorporer les pignons de pin et laisser rissoler, jusqu'à ce que les oignons et les pignons soient légèrement dorés. Mélanger le riz et les raisins secs pendant une minute ou deux, jusqu'à ce que le riz soit transparent, puis assaisonner. Verser 475 ml d'eau et porter à ébullition. Réduire le feu et laisser frémir 25 minutes à couvert, jusqu'à ce que l'eau soit entièrement absorbée. Laisser refroidir.

Préchauffer le four à 200 °C (thermostat 6). Faire fondre le reste de beurre ou de samné dans une casserole ; ajouter le miel hors du feu et laisser fondre, puis incorporer le yaourt. Farcir le poulet avec la préparation au riz et fermer l'ouverture avec des brochettes. Laisser le reste de riz dans la poêle pour le réchauffer ensuite. Poser le poulet dans un plat à four et arroser généreusement de sauce au yaourt.

Faire cuire 20 minutes à la température ci-dessus, puis réduire à 180 °C (thermostat 4) et poursuivre la cuisson pendant 1 h 15 à 1 h 30. Arroser deux fois de sauce au yaourt. Vérifier la cuisson en piquant une brochette au niveau de l'articulation de la cuisse ; le jus doit être clair.

Réchauffer le reste de riz à feu doux et mouiller avec un peu de jus de cuisson du poulet. Servir avec le poulet farci.

Les citrons poussent en abondance au Liban.

POULET AUX ABRICOTS ET AUX OLIVES

Pour 8 personnes

Cette savoureuse association s'inspire davantage de la cuisine israélienne que libanaise. Grand fournisseur de fruits secs, Israël en fait un large usage, tant dans les préparations de viande en cocotte que dans les desserts. Cette recette adaptée par les Libanais comprend des ingrédients qui leur sont propres, comme l'*arak*.

- ◆ *1,5 kg de poulet sans la peau et les os, détaillé en cubes*
- ◆ *5 gousses d'ail, écrasées*
- ◆ *100 g d'abricots secs, hachés*
- ◆ *75 g d'olives noires*
- ◆ *½ cuil. à café de zeste d'orange râpé*
- ◆ *5 cuil. à soupe de jus d'orange*
- ◆ *2 cuil. à soupe de jus de citron ou de vinaigre de vin blanc*
- ◆ *120 ml d'arak (alcool libanais à base d'anis) ou d'ouzo*
- ◆ *2 cuil. à soupe de feuilles de fenouil fraîches*
- ◆ *1 cuil. à soupe ½ d'huile d'olive*
- ◆ *100 g de sucre roux*

Préchauffer le four à 200 °C (thermostat 6).

Mélanger soigneusement tous les ingrédients dans un saladier. Couvrir et laisser toute la nuit au réfrigérateur. Poser les morceaux de poulet dans un plat à four et verser dessus la marinade, avec les olives et les abricots. Saupoudrer de sucre. Faire cuire 30 minutes au four, en retournant les morceaux une ou deux fois.

Dresser les morceaux de poulet sur un plat de service, en disposant les olives et les abricots dessus. Filtrer le jus de cuisson dans une casserole, puis réduire de moitié à feu vif. Arroser le poulet de sauce. Servir chaud ou froid.

POULET AU RAISIN ET AUX AMANDES

Pour 6 personnes

Cet mets se prépare avec le raisin blanc que l'on cultive à Chypre et dans les pays du Levant depuis l'époque des Croisades. Destiné à la consommation autant qu'à la fabrication du vin, le muscat enrichit de son arôme et de sa saveur prononcés cette recette qui emprunte à une tradition séculaire l'emploi de la poudre d'amandes comme agent épaississant. Les Libanais utilisent aussi des herbes sauvages, notamment la marjolaine.

◆ 2 kg de poulet fermier
◆ Sel et poivre fraîchement moulu
◆ ½ cuil. à café de cannelle
◆ Une grosse pincée de noix de muscade
◆ Thym frais
◆ Marjolaine fraîche
◆ 225 g de grains de muscat, pelés, épépinés et coupés en deux

◆ 250 ml de muscat sucré
◆ 1 cuil. à soupe de beurre ou de samné
◆ 3 cuil. à soupe d'amandes effilées
◆ 50 g de poudre d'amandes
◆ Sel et poivre fraîchement moulu
◆ 150 ml de crème liquide
◆ 2 jaunes d'œufs

Laver et essuyer le poulet, puis frotter de sel et poivre, cannelle et noix de muscade. Introduire dans le poulet 2 à 3 branches de thym et de marjolaine. Mettre le poulet dans une cocotte, remplir avec la moitié des raisins et arroser de vin. Faire cuire 1 heure 30 à couvert dans le four préchauffé à 200 °C (thermostat 6).

Sortir le poulet du four et le dresser sur un plat de service chaud. Retirer les raisins et les herbes, découper le poulet et couvrir de papier aluminium pour le garder au chaud.

Faire fondre le beurre ou le *samné* dans une petite casserole et laisser dorer légèrement les amandes pendant quelques minutes. Enlever avec une écumoire et réserver. Filtrer le jus de cuisson du poulet dans la casserole après avoir retiré le gras. Faire chauffer le jus doucement, sans laisser bouillir, avant d'incorporer le reste de raisins et la poudre d'amandes. Laisser quelques minutes sur le feu.

Battre la crème liquide et les jaunes d'œufs dans un bol. Ajouter une cuillerée de bouillon de poulet chaud. Retirer la casserole du feu et mélanger la préparation aux œufs ; la sauce doit épaissir peu à peu.

Verser une partie de la sauce sur les morceaux de poulet et saupoudrer d'amandes effilées. Mettre le reste dans une saucière, pour accompagner le *Mudardara* (p. 98) ou du riz pilaf.

ŒUFS AU FROMAGE
BEÏD BI JEBNÉ

Pour 4 personnes

Cette préparation d'une simplicité enfantine associe deux ingrédients prisés des Libanais : œufs et fromage. Les variétés de fromage utilisées traditionnellement peuvent être remplacées par du *kaseri* ou du *halloumi*, en vente chez les traiteurs grecs, turcs et libanais en France. Le pecorino italien ou un fromage de chèvre ou de brebis à pâte dure conviennent également.

◆ ½ cuil. à café de cumin en poudre
◆ ½ cuil. à café de sel
◆ 4 œufs

◆ 2 cuil. à soupe de beurre ou de samné
◆ 4 tranches épaisses de fromage à pâte dure

Mélanger le sel et le cumin dans un petit récipient, puis réserver.

Faire frire le fromage pendant 3 minutes dans le beurre ou le *samné* chauds, jusqu'à ce qu'il commence à bouillonner. Casser un œuf sur chaque tranche de fromage, couvrir et faire cuire doucement. Sortir avec une spatule et servir. Saupoudrer de sel et de cumin avant de consommer.

ŒUFS DURS À L'OIGNON
BEÏD HAMID

Pour 6 personnes

Spécialité du Moyen-Orient, ces œufs durs présentent une saveur caractéristique et une couleur foncée, une fois écalés. Ils complètent parfaitement les préparations en cocotte, tel le *Bamia* (p. 91), se servent comme *meze* ou peuvent accompagner les salades, comme le *Bazinjane Rahib* (p. 59).

◆ *Peau de 6 oignons (réserver les oignons pour un autre usage)*
◆ *Sel et poivre*
◆ *6 œufs*

Mettre les œufs dans une casserole et recouvrir avec les peaux d'oignons. Couvrir d'eau froide et allumer le feu au minimum. Laisser frémir très doucement pendant 6 à 7 heures, en ajoutant de l'eau au fur et à mesure. (Un peu d'huile versée sur l'eau ralentit l'évaporation.)

Plonger ensuite les œufs dans l'eau froide et laisser refroidir avant d'écaler. Servir avec le sel et le poivre. Ces œufs conservent leur saveur pendant 2 jours en restant dans le réfrigérateur.

CANARD BRAISÉ AUX PATATES DOUCES

Pour 6 personnes

Canards et poulets vivants animent les marchés libanais, tandis qu'à la campagne ils évoluent librement à proximité des maisons. Originaire d'Afrique centrale, la patate douce a été intégrée dans la cuisine libanaise, comme dans cette recette maronite.

◆ *6 morceaux de canard, rincés et essuyés*
◆ *Sel et poivre fraîchement moulu*
◆ *2 carottes, hachées*
◆ *2 bâtons de céleri, hachés*
◆ *1 gros oignon, haché*
◆ *1 gousse d'ail, écrasée*
◆ *1 feuille de laurier*
◆ *1 cuil. à café de thym*
◆ *6 capsules de cardamome*
◆ *1 cuil. à soupe de concentré de tomates*
◆ *1 cuil. à soupe de miel*

◆ *450 ml de bouillon de volaille*
◆ *1 cuil. à soupe d'huile d'olive*
◆ *4 patates douces moyennes, épluchées et détaillées en gros cubes*
◆ *2 cuil. à soupe de sucre en poudre*
◆ *4 cuil. à soupe de vinaigre de vin rouge*
◆ *2 cuil. à soupe de raisins secs*

Retirer la peau et le gras du canard. Mettre les déchets dans une grande cocotte, avec les morceaux de canard. Saler, poivrer et faire rissoler pendant 20 minutes. Jeter les déchets, réserver les morceaux de viande et filtrer la graisse dans une casserole.

Faire revenir les carottes, le céleri et l'oignon dans la casserole pendant 8 minutes, en remuant. Jeter la graisse avant d'ajouter l'ail, puis la feuille de laurier, le thym, la cardamome et le concentré de tomates. Mouiller avec le bouillon et 250 ml d'eau. Mélanger, porter à ébullition puis laisser frémir 30 minutes, en écumant une ou deux fois.

Préchauffer le four à 180 °C (thermostat 4).

Remettre le canard dans la cocotte, filtrer le bouillon dessus, couvrir et laisser cuire 40 minutes.

Pendant ce temps, mettre les patates douces dans la casserole. Couvrir d'eau et porter à ébullition. Faire cuire 5 minutes, puis égoutter soigneusement. Réserver.

Lorsque le canard est cuit, sortir les morceaux avec une écumoire et filtrer le jus de cuisson dans un bol. Verser l'huile d'olive dans la cocotte et faire rissoler les patates douces pendant 5 minutes, en remuant délicatement. Ajouter les morceaux de canard, puis retirer du feu.

Enlever le gras du bouillon réservé. Mélanger le sucre et le vinaigre dans une casserole, jusqu'à ce que la préparation commence à caraméliser. Incorporer le bouillon de canard et le miel.

Verser la sauce aigre-douce sur les patates douces et les morceaux de canard, ajouter les raisins secs et couvrir la cocotte. Laisser frémir 10 minutes, puis servir aussitôt.

DINDE À L'ORANGE
HABISH WI LEMON

Pour 8 personnes

Les dindes qui évoluent en liberté dans les pays du Levant sont de petites volailles à cou noir, savoureuses mais pas toujours très tendres. Dans cette recette, la marinade acidulée attendrit la viande tout en apportant sa tonalité fruitée. Les oranges amères ont été introduites par les Arabes dans le Sud de l'Europe, où elles sont connues sous l'appellation « oranges de Séville ».

- ◆ *1 dinde 4,5 à 5,5 kg*
- ◆ *6 oranges amères (de Séville)*
- ◆ *4 gousses d'ail, finement détaillées*
- ◆ *3 oignons*
- ◆ *2 cuil. à soupe de marjolaine fraîche finement hachée*
- ◆ *60 ml d'huile d'olive*
- ◆ *1 cuil. à café de coriandre moulue*
- ◆ *Sel et poivre fraîchement moulu*
- ◆ *Persil plat*
- ◆ *150 ml de yaourt grec (facultatif)*

Rincer la dinde et essuyer avec du papier absorbant. Presser le jus de 4 oranges ; réserver les 2 autres.
Faire des petites entailles dans la dinde pour piquer les morceaux d'ail. Émincer finement deux oignons dans une grande cocotte en céramique ou en émail, puis poser la dinde dessus. Parsemer de marjolaine et verser le jus d'orange. Couvrir et laisser 1 journée au réfrigérateur, en retournant la dinde plusieurs fois. Préchauffer le four à 200 °C (thermostat 6).
Sortir la dinde de la marinade et l'essuyer. Enduire d'huile d'olive avant de frotter de coriandre, sel et poivre. Retirer les oignons de la marinade avec une écumoire pour en garnir le fond d'un plat à four. Poser la dinde dessus, le ventre sur le dessous, et arroser de marinade. Faire cuire 10 minutes au four, puis baisser le feu à 170 °C (thermostat 3) et poursuivre la cuisson pendant 2 heures 30, en arrosant avec le jus de cuisson. Vérifier la cuisson en piquant une brochette dans la chair ; le jus doit être clair. Ajouter si nécessaire un peu d'eau dans le plat.
Sortir la volaille du four, poser sur un plat de service et laisser reposer, à couvert, pendant 15 minutes. Filtrer le jus de cuisson dans une casserole. Peler les deux autres oranges, les diviser en quartiers et ajouter dans la casserole. Réduire la sauce à feu vif jusqu'à ce qu'elle épaississe légèrement. Découper la dinde, détailler les blancs en tranches et dresser sur le plat de service. Émincer le dernier oignon et disposer sur les morceaux de dinde. Verser le jus de cuisson, puis décorer de quartiers d'orange et de persil avant de servir.
La dinde peut aussi se consommer froide. Mélanger un peu de jus de cuisson réduit avec du persil et le yaourt, avant de mettre au réfrigérateur.

PLATS DE VIANDE
ALLAHEM

CHICHES-KEBABS LIBANAISES
LAHEM MESHOUI

Pour 6 personnes

Originaires de Turquie, les chiches-kebabs ont gagné des contrées aussi éloignées que la Thaïlande, les États-Unis et la Russie. Dans les pays du Levant, elles sont confectionnées avec du mouton ou de l'agneau, mais ils peuvent être remplacés par du bœuf ou du foie. La marinade est indispensable à leur préparation.

- ◆ *900 g d'épaule d'agneau, détaillée en cubes de 5 cm*
- ◆ *1 gros oignon, coupé en quatre*
- ◆ *1 gros poivron vert, évidé et épépiné*
- ◆ *18 tomates cerises*

Marinade
- ◆ *1 oignon, émincé*
- ◆ *2 cuil. à soupe d'huile d'olive*
- ◆ *3 cuil. à soupe de jus de*

citron frais
- ◆ *Sel et poivre moulu*
- ◆ *1 cuil. à café de* **Taratour bi Sad** *ou 2 gousses d'ail, écrasées*
- ◆ *1 piment rouge, écrasé (facultatif)*
- ◆ *1 cuil. à café de cumin en poudre*
- ◆ *¹⁄₂ cuil. à café de cannelle en poudre*
- ◆ *Quartiers de citron*

Commencer par préparer la marinade. Mettre l'oignon dans un grand saladier. Réunir les autres ingrédients de la marinade dans un bocal à fermeture hermétique (saler abondamment), couvrir et secouer vigoureusement pour mélanger.

Mettre les morceaux de viande dans le saladier et verser la marinade dessus. Remuer soigneusement l'oignon et la viande avec les mains pour bien les enrober de marinade. Couvrir le saladier et laisser entre 8 et 24 heures au réfrigérateur.

Couper chaque quart d'oignon en deux, puis en 8, pour obtenir 24 portions. Détailler le poivron vert en 18 morceaux carrés. Sortir la viande du réfrigérateur.

Enfiler le poivron, la viande, l'oignon et les tomates sur 6 grandes brochettes, en alternant les ingrédients, mais en commençant et en terminant par le poivron.

Faire griller les *kebabs* 12 à 15 minutes sur le barbecue, en arrosant de marinade et en les retournant deux ou trois fois, jusqu'à ce qu'elles soient dorées à l'extérieur, mais roses à l'intérieur (ou bien faire cuire sur une grille, sous le gril préchauffé, au-dessus de la lèchefrite, pour recueillir le jus). Servir les brochettes avec du riz et des quartiers de citron.

AGNEAU HACHÉ À L'ARMÉNIENNE
KOFTA BI SAYNIYÉ

Pour 6 à 8 personnes

Ces « saucisses » d'agneau haché sont répandues dans les régions situées au nord-est du Liban, sous influence arménienne et syrienne. Elles sont aussi très prisées des immigrants libanais aux États-Unis et en Europe. Façonnées sous forme de boulettes allongées, elles peuvent être enrobées de farine avant d'être rissolées à la poêle, ou cuites au four, avec une sauce tomate, comme dans cette recette.

◆ *450 g de pommes de terre, épluchées et coupées en quatre*
◆ *1 oignon, haché*
◆ *675 g d'agneau ou de bœuf haché*
◆ *2 œufs*
◆ *4 cuil. à soupe de persil haché*
◆ *5 cuil. à café de menthe, revenue à la poêle*
◆ *1 cuil. à café de poivre de la Jamaïque en poudre*

◆ *Sel et poivre fraîchement moulu*
◆ *5 cuil. à soupe de beurre ou de samné*
◆ *5 cuil. à soupe de pignons de pin*
◆ *2 cuil. à soupe de coulis de tomate*
◆ *Poivrons rouge et jaune, émincés*
◆ *Quartiers de citron*

Faire cuire les pommes de terre dans l'eau bouillante, puis égoutter soigneusement. Mettre dans un robot équipé d'un couteau en métal, avec l'oignon, puis mixer sous forme de purée. Ajouter la viande hachée et continuer de mixer pour obtenir une pâte homogène. Incorporer les œufs, les herbes et les épices. Saler et poivrer. Mixer, puis laisser 1 heure au réfrigérateur.

Faire dorer les pignons de pin dans 2 cuil. à soupe de beurre, à feu moyen, puis laisser refroidir légèrement. Sortir la viande du réfrigérateur et façonner 8 boulettes. Étaler une feuille de papier sulfurisé sur un plan de travail et aplatir les boulettes sous forme de longs rectangles. Déposer environ ¾ de cuil. à soupe de pignons de pin au centre de chaque rectangle, puis rouler la viande autour en forme de cylindre ou de saucisse, en fermant les extrémités.

Préchauffer le four à 180 °C (thermostat 4).

Poser les 8 saucisses sur une plaque de cuisson huilée. Faire fondre le reste de beurre ou de *samné* dans une petite casserole et mélanger le coulis de tomates. Verser la sauce sur la viande, en la couvrant uniformément. Enfourner et faire cuire pendant 45 à 50 minutes, jusqu'à ce que les *koftas* soient dorés. Servir décoré de morceaux de poivron et de quartiers de citron.

GÂTEAU DE KIBBÉ
KIBBÉ BI SAYNIYÉ

Les *kibbé* individuels (p. 43) sont généralement servis comme *meze*, mais cette préparation peut être détaillée en petits carrés à consommer en hors-d'œuvre. Elle constitue aussi un délicieux plat principal, lorsqu'on rehausse sa texture un peu sèche de *Bazinjane Rahib* (p. 59), servi à température ambiante.

- 120 ml d'eau
- 120 ml de jus de tomate en conserve
- 60 ml de jus de citron frais
- 275 g de boulghour fin
- 450 g d'agneau haché
- 1 cuil. à café de paprika
- ½ cuil. à café de cumin en poudre
- Une grosse pincée de poivre de Cayenne
- Sel et poivre fraîchement moulu
- 1 cuil. à soupe ½ de graines de sésame (facultatif)

- 60 ml de beurre ou samné *fondu*
- 2 cuil. à soupe d'huile de tournesol

Garniture

- 1 cuil. à soupe d'huile d'olive
- 1 oignon, finement haché
- 350 g d'agneau haché
- 50 g de noix ou de pignons de pin hachés
- ½ cuil. à café de poivre de la Jamaïque
- Sel et poivre fraîchement moulu

Pour préparer la pâte à *kibbé*, mélanger dans un saladier l'eau, le jus de tomate et le jus de citron. Ajouter le boulghour, puis laisser reposer 10 minutes.

Réunir dans un robot l'agneau, les épices, le sel, le poivre, et mixer pour obtenir la consistance d'une pâte. Incorporer peu à peu la préparation au boulghour, sans arrêter le moteur, jusqu'à l'obtention d'un mélange homogène.

Mettre la préparation dans un saladier et pétrir pour qu'elle devienne élastique, puis laisser 2 heures au réfrigérateur.

Pendant ce temps, préparer la garniture. Faire blondir l'oignon dans l'huile d'olive chaude, dans une poêle. Ajouter l'agneau et laisser dorer en remuant. Retirer du feu et jeter le gras avant d'incorporer les pignons de pin ou les noix, le poivre de la Jamaïque, le poivre et le sel.

Mélanger le beurre ou le *samné* fondu et l'huile de tournesol pour en badigeonner le fond d'un moule carré. Diviser la pâte à *kibbé* en deux. Prendre de petits morceaux dans une moitié et aplatir avec les mains humides. Poser les morceaux dans le moule en les serrant pour en garnir le fond. Étaler dessus la garniture uniformément. Prélever des petits morceaux dans l'autre moitié de *kibbé* et procéder comme avec la première pour couvrir la garniture. Régulariser la surface, puis enfoncer légèrement les graines de sésame.

Préchauffer le four à 200 °C (thermostat 6).

Couper la préparation en grands carrés pour un plat principal ou en petits losanges pour un *meze*. Humecter du mélange huile et *samné*, en le laissant couler entre les portions. Enfourner et faire cuire 10 minutes, puis baisser la température à 180 °C (thermostat 4), et poursuivre la cuisson pendant 30 à 35 minutes. Sortir du four et laisser refroidir légèrement avant de servir, accompagné de sauce au yaourt et au concombre (p. 108).

Cette préparation peut également être servie froide, après avoir séjourné au réfrigérateur.

Environs du lac Karaoun

FOIE À LA MENTHE
KIBDÉ BI NA'NA

Pour 4 personnes

Cette association de saveurs, insolite pour les Occidentaux, est néanmoins délicieuse. La menthe fraîche peut être remplacée par de la menthe séchée, mais le résultat ne sera pas aussi séduisant, ni pour le palais, ni pour les yeux.

◆ 2 cuil. à soupe de **samné** ou de mélange de beurre et d'huile d'olive
◆ 1 oignon, finement émincé
◆ 1 gousse d'ail, écrasée
◆ 450 g de foies de veau ou d'agneau, finement émincés
◆ Farine
◆ 120 ml de vinaigre de vin rouge
◆ 2 cuil. à soupe de menthe fraîche finement ciselée

Faire revenir l'oignon dans 2 cuil. à soupe de *samné* ou de mélange de beurre et d'huile, chauffés à feu moyen, dans une poêle. Ajouter l'ail et poursuivre la cuisson jusqu'à ce que l'oignon devienne légèrement doré. Sortir l'ail et l'oignon avec une écumoire et réserver.

Enrober les foies de farine et laisser tomber l'excédent. Verser le reste de *samné* ou de beurre et d'huile dans la poêle et faire rissoler les morceaux de foies des deux côtés. Remettre l'oignon et l'ail dans la poêle, verser le vinaigre puis mélanger la menthe. Laisser frémir 5 minutes, en arrosant la viande de sauce, jusqu'à ce que le liquide réduise.

RAGOÛT D'AGNEAU
LAHMA BI HOUMOUS WI TOMATIM

Pour 4 personnes

Les Occidentaux connaissent le ragoût d'agneau à l'orientale sous la forme du *Kleftiko* des tavernes grecques. Il s'agit d'un plat économique, de quelque façon qu'il soit préparé ; au Liban, il se cuisine avec des haricots verts ou, comme ici, avec des pois chiches.

◆ 1 cuil. à soupe d'huile d'olive
◆ 2 oignons, émincés
◆ 3 gousses d'ail, hachées
◆ 1 cuil. à café de poivre de la Jamaïque
◆ 2 cuil. à café de cumin en poudre
◆ Une pincée de piment rouge séché, en flocons
◆ 1 feuille de laurier, écrasée
◆ 4 morceaux de collier

d'agneau (environ 350 g chacun)
◆ 800 g de pois chiches en conserve, égouttés et rincés
◆ 800 g de tomates concassées en conserve
◆ 475 ml de bouillon d'agneau ou de bœuf
◆ Sel et poivre fraîchement moulu
◆ 1 citron
◆ 50 g de coriandre ciselée

Préchauffer le four à 220 °C (thermostat 7).

Verser l'huile dans une grande cocotte. Faire chauffer à feu moyen, ajouter l'oignon et laisser rissoler 4 minutes. Incorporer ensuite l'ail, et poursuivre la cuisson pendant 6 minutes, jusqu'à ce que l'ail et l'oignon soient légèrement dorés.

Sortir les oignons avec une écumoire et mettre dans un grand saladier. Ajouter les épices et la feuille de laurier, puis réserver. Faire dorer les morceaux de viande dans la cocotte, en les retournant. Enfourner et faire cuire 35 minutes, en retournant les morceaux de temps en temps.

Mélanger les pois chiches, les tomates et le bouillon aux oignons. Verser cette préparation dans la cocotte contenant l'agneau et assaisonner. Porter à ébullition sur le feu de la cuisinière, puis couvrir et poursuivre la cuisson pendant une heure en bas du four. Vérifier la cuisson de la viande avec un couteau ; elle doit être tendre.

Presser le jus du citron, en arroser la viande et saupoudrer de coriandre. Servir aussitôt.

RAGOÛT DE VIANDE AUX GOMBOS
BAMIA MASLOU

Pour 4 à 6 personnes

Ce mets se prépare généralement avec du bœuf, parfois avec de l'agneau. Il n'est pas indispensable de blanchir les gombos ; toutefois, dans ce cas, ils offrent une consistance gélatineuse, qui ne déplaît pas aux Libanais, mais ne séduit guère les palais occidentaux.

◆ *900 g de gombos*
◆ *4 cuil. à soupe de* samné *ou de mélange de beurre et d'huile d'olive*
◆ *2 oignons, finement émincés*
◆ *1 gousse d'ail, écrasée*
◆ *675 g de bœuf maigre à braiser, détaillé en cubes de 2,5 cm*
◆ *3 cuil. à soupe de coulis de tomates*
◆ *350 ml de bouillon de bœuf chaud*
◆ *Sel et poivre fraîchement moulu*
◆ *2 cuil. à soupe de vinaigre de vin rouge ou de jus de citron*
◆ *2 cuil. à soupe de coriandre finement ciselée*

Couper les pédoncules des gombos (si vous parvenez à le faire sans percer l'intérieur, la sève collante ne s'écoulera pas pendant la cuisson, et dans ce cas il est inutile de blanchir les gombos). Faire bouillir une grande casserole d'eau. Jeter les gombos, porter de nouveau à ébullition et laisser cuire 3 minutes. Égoutter soigneusement.

Chauffer dans une cocotte 3 cuil. à soupe de *samné* ou de mélange beurre et huile, et faire revenir les oignons pendant 5 minutes à feu moyen. Ajouter l'ail et poursuivre la cuisson pendant quelques minutes, jusqu'à ce que les oignons soit légèrement dorés. Incorporer le reste de *samné* et la viande, après avoir retiré les oignons avec une écumoire. Faire dorer la viande en remuant et en retournant les morceaux. Ajouter les gombos et laisser rissoler pendant 3 minutes, puis remettre les oignons dans la cocotte.

Mélanger le coulis de tomates au bouillon de bœuf, puis verser sur la viande et les légumes. Porter de nouveau à ébullition, couvrir et baisser le feu. Laisser frémir pendant 1 heure 45 minutes, en remuant régulièrement, jusqu'à ce que la viande soit tendre. Mouiller si nécessaire avec de l'eau pendant la cuisson. Juste avant de servir, arroser de vinaigre ou de jus de citron et saupoudrer de coriandre.

COURGETTES FARCIES
KOUSA MASHI

Pour 4 personnes

Ce plat se prépare avec de l'agneau ou du bœuf, des courgettes ou des aubergines. Les Libanais et les Syriens utilisent un ustensile spécial dénommé *munara* pour le réaliser, mais un vide pomme ou un couteau peuvent parfaitement le remplacer.

- ◆ *2 cuil. à soupe d'huile d'olive*
- ◆ *1 oignon, finement haché*
- ◆ *1 gousse d'ail, finement hachée*
- ◆ *50 g de raisins secs*
- ◆ *100 g de riz à long grain*
- ◆ *1 cuil. à café de menthe séchée*
- ◆ *1 cuil. à café d'épices libanaises (p. 16)*
- ◆ *Sel et poivre fraîchement moulu*

- ◆ *225 g d'agneau maigre, haché*
- ◆ *4 courgettes moyennes (environ 18 cm de long et 4 cm de diamètre)*
- ◆ *750 ml de bouillon d'agneau ou de bœuf*
- ◆ *Feuilles de menthe fraîches*
- ◆ *Fleurs de courgettes fraîches (facultatif)*

Faire blondir l'oignon pendant 6 minutes dans l'huile d'olive préalablement chauffée. Ajouter l'ail et laisser mijoter jusqu'à ce que l'ail et l'oignon soient dorés. Incorporer hors du feu les raisins secs, le riz, la menthe et les épices. Laissez refroidir légèrement.

Pendant ce temps, préparer les courgettes. Couper les extrémités et creuser chaque courgette, en laissant une mince enveloppe (3 mm). Réserver.

Mettre la préparation au riz dans un robot équipé d'un couteau en métal. Mixer grossièrement, puis verser dans une casserole ou un saladier. Mixer l'agneau sous forme de pâte fine. Mélanger à la préparation au riz et pétrir soigneusement.

Garnir les courgettes de préparation, en appuyant dessus avec les doigts et une cuillère.

Verser le bouillon dans une cocotte. Ajouter les courgettes, assaisonner et couvrir. Porter à ébullition, puis baisser le feu et laisser frémir 25 minutes, jusqu'à ce que les courgettes soient tendres.

Dresser les courgettes sur un plat de service et décorer de feuilles de menthe fraîche et de fleurs de courgettes. Servir avec le bouillon réduit, ou avec une sauce au yaourt et au concombre (p. 108).

Vignobles de la vallée de la Bekaa.

KEBABS DE VIANDE HACHÉE
KOFTA HALAKOUYÉ

Pour 6 à 8 personnes

Des variantes des « saucisses » de viande hachée existent dans tout le Moyen-Orient, en Grèce, en Turquie et dans les États baltes. Elles sont bien connues des Occidentaux qui les découvrent dans les restaurants orientaux. Les recettes authentiques se distinguent par l'utilisation des épices, de certains ingrédients ainsi que par le mode de cuisson, comme dans le cas des *koftas* arméniennes (p. 87). Cette délicieuse recette libanaise surprend par sa simplicité.

- ◆ *4 tranches de pain, sans la croûte, détaillées en cubes (environ 175 g)*
- ◆ *1 gousse d'ail, écrasée*
- ◆ *900 g d'agneau haché*
- ◆ *2 petits oignons, râpés*
- ◆ *7,5 ml de cumin en poudre*
- ◆ *1 œuf*
- ◆ *½ cuil. à café de poivre de Cayenne*
- ◆ *3 cuil. à soupe de persil finement haché*
- ◆ *Sel et poivre fraîchement moulu*
- ◆ *Quartiers de citron*

Mettre le pain dans un bol et mouiller avec de l'eau — environ 4 à 5 cuil. à soupe. Ajouter l'ail, puis malaxer avec le pain et l'eau. Laisser reposer 10 minutes.
Mélanger dans un grand saladier l'agneau, l'oignon, le cumin, le poivre de Cayenne et le persil, en travaillant avec les mains. Incorporer la pâte à pain, l'œuf et l'assaisonnement. Malaxer soigneusement, jusqu'à ce que la viande absorbe le liquide et devienne élastique. Façonner la viande avec les mains, sous forme de 6 à 8 longs cylindres. Introduire une brochette dans chaque cylindre et régulariser la forme tout autour.
Faire cuire les *kebabs* 20 minutes sur le barbecue, jusqu'à ce qu'elles soient dorées (ou sous le gril chaud, en les retournant deux ou trois fois).
Servir les *kebabs* accompagnées de quartiers de citron et de *Kacik* (p. 59).

CÔTELETTES D'AGNEAU ÉPICÉES
KASTALETA GHANAM

Pour 6 personnes

Ces côtelettes épicées évoquent les plats de *tandoori* indiens et montrent comment les traditions circulent d'une contrée musulmane à l'autre.

◆ *120 ml de* **samné** *ou de beurre*

◆ *¹/₂ cuil. à café d'épices libanaises (p. 16)*

◆ *¹/₄ de cuil. à café de cardamome en poudre*

◆ *³/₄ de cuil. à café de gingembre en poudre*

◆ *¹/₄ de cuil. à café de noix de muscade en poudre*

◆ *Une grosse pincée de coriandre*

◆ *Une pincée de clous de girofle moulus*

◆ *1 cuil. à soupe de menthe fraîche ciselée*

◆ *1 cuil. à soupe de persil plat fraîchement ciselé*

◆ *1 cuil. à café ¹/₂ de* Taratour bi Sad *(p. 111) ou 1 gousse d'ail, écrasée*

◆ *Sel et poivre fraîchement moulu*

◆ *12 côtelettes d'agneau*

Faire fondre le beurre ou le *samné* dans une petite casserole, à feu doux. Ajouter les épices, la menthe, le persil, remuer une ou deux fois, puis retirer du feu. Incorporer le *taratour* (ou l'ail écrasé) et laisser la préparation s'imprégner des différentes saveurs pendant au moins 1 heure à température ambiante.

Saler et poivrer les côtelettes. Laisser fondre le *samné*, s'il a durci, pour en enduire la viande. Faire cuire les côtelettes sur le barbecue ou sous le gril préchauffé pendant 6 à 8 minutes de chaque côté, jusqu'à ce que l'extérieur soit doré, mais l'intérieur rosé. Dresser sur les assiettes de service et arroser du reste de beurre ou de *samné*. Ces côtelettes s'accompagnent parfaitement d'*Imjadra* (p. 98) ou de *Batatas bi Houmous* (p. 100).

LÉGUMES ET CÉRÉALES
KHOUDRAWAT, ROZ WI BOURGHOUL

COURGETTES AUX NOIX
KOUSA IN GAMAËL

Pour 4 à 6 personnes

Généralement associées à la cuisine turque, les noix figurent moins souvent dans les recettes libanaises que les pignons de pin et les pistaches. Elles enrichissent néanmoins nombre de plats salés et sucrés.

Faire revenir les courgettes pendant 5 minutes dans l'huile chaude. Saler et poivrer, puis incorporer les noix et le poivre de la Jamaïque. Mélanger soigneusement, retirer du feu et saupoudrer de persil. Servir aussitôt.

- ◆ 5 cuil. à soupe de beurre ou d'huile d'olive
- ◆ 675 g de courgettes, lavées, épluchées et finement émincées
- ◆ Sel et poivre noir fraîchement moulu
- ◆ 75 g de cerneaux de noix, hachés
- ◆ Une grosse pincée de poivre de la Jamaïque
- ◆ 2 cuil. à soupe de persil finement ciselé

PÂTES AU CITRON ET À L'HUILE
MACARONA BI LEMON

Pour 4 à 6 personnes

Les anciens livres de cuisine arabes contiennent des recettes simples de pâtes. Si celles-ci ne figurent pas parmi les traditions culinaires au Liban, macaroni, tagliatelle et autres variétés à base de semoule de blé y sont toutefois préparées d'une manière typiquement orientale.

◆ *450 g de macaroni ou de spaghetti*
◆ *Sel et poivre fraîchement moulu*
◆ *50 g de persil finement ciselé*
◆ *5 ou 6 feuilles de menthe ou de basilic frais finement ciselés*
◆ *90 ml d'huile d'olive*
◆ *Le jus d'un citron*

Faire bouillir une grande casserole d'eau salée, plonger les pâtes et verser une ou deux gouttes d'huile. Porter de nouveau à ébullition et laisser frémir 15 minutes, jusqu'à ce qu'elles soient tendres. Égoutter soigneusement avant de remettre dans la casserole. Incorporer les herbes et mélanger aux pâtes. Ajouter ensuite l'huile d'olive, le jus de citron, le sel, le poivre, et continuer de remuer jusqu'à ce que les pâtes aient absorbé le liquide. Servir chaud ou froid.

TERRINE DE LÉGUMES
MOUSAKHA

Pour 6 personnes

Le nom de ce plat est identique à celui du mets grec composé d'aubergines, de viande hachée, de pommes de terre et de fromage, mais ici l'association de légumes et d'épices est typique du Moyen-Orient. Complétée de riz ou de boulghour, cette préparation peut se consommer en plat principal.

◆ *675 g d'aubergines ou de courgettes lavées, épluchées et détaillées en cubes*
◆ *Sel et poivre fraîchement moulu*
◆ *Huile d'olive*
◆ *2 gros oignons, émincés*
◆ *1 poivron vert, évidé, épépiné et haché*
◆ *1 gousse d'ail, finement hachée*
◆ *675 g de tomates mûres, pelées, épépinées et concassées*
◆ *150 ml de* Labné *(p. 53)*
◆ *2 à 3 œufs, battus (facultatif)*

Mettre les morceaux d'aubergines dans une passoire et saupoudrer de sel. Laisser dégorger 30 minutes, puis essuyer. (Cette opération, qui a pour but d'extraire les sucs amers des aubergines, n'est pas nécessaire pour les courgettes). Verser 2 cuil. à soupe d'huile d'olive dans une sauteuse, puis faire blondir les oignons pendant 5 minutes à feu moyen. Incorporer le poivron et poursuivre la cuisson pendant 3 à 4 minutes, jusqu'à ce que les oignons soient dorés. Ajouter l'ail et retirer du feu. Sortir les oignons, le poivron et l'ail avec une écumoire et poser sur une assiette.

Verser de l'huile dans la sauteuse — 3 à 4 cuil. à soupe —, puis faire cuire les aubergines ou les courgettes pendant 8 minutes, en remuant, jusqu'à ce qu'elles soient dorées et tendres. Jeter l'huile et répartir les aubergines ou les courgettes au fond de la poêle. Poser dessus les oignons et le poivron. Couvrir avec les tomates et régulariser la surface. Mouiller avec 250 ml d'eau, puis laisser frémir 30 minutes à feu doux et à couvert. Dix minutes avant la fin de la cuisson, étaler le *labné* et l'œuf battu. Laisser à couvert et à feu doux jusqu'à ce que l'œuf soit cuit. Assaisonner avant de servir.

RIZ AUX LENTILLES
MUDARDARA

Pour 6 à 8 personnes

Selon les spécialistes de la Bible, le plat de lentilles d'Esaü, cité dans le Livre de la Genèse, se composait de riz et de lentilles — variante de l'actuel *mudardara*. Chaque famille le prépare en adaptant à sa guise les proportions et/ou les épices. On y ajoute parfois de la cannelle, ingrédient non traditionnel, réputé pour ses vertus aphrodisiaques et curatives.

- ◆ *175 g de lentilles vertes, lavées et triées*
- ◆ *5 cuil. à soupe d'huile d'olive*
- ◆ *225 g de riz à long grain, lavé*
- ◆ *4 gros oignons, émincés*
- ◆ *Sel et poivre fraîchement moulu*
- ◆ *¹/4 de cuil. à café de cannelle (facultatif)*

Porter à ébullition une grande casserole d'eau, jeter les lentilles, couvrir et laisser frémir 25 à 30 minutes, jusqu'à ce qu'elles soient tendres.

Pendant ce temps, faire blondir les oignons à feu moyen dans l'huile d'olive préalablement chauffée, dans une cocotte. Retirer la moitié avec une écumoire et réserver. Faire dorer le reste, sans laisser brûler, puis mettre dans un saladier.

Égoutter soigneusement les lentilles, en réservant le jus de cuisson. Remettre les oignons dans la cocotte et incorporer le riz. Faire cuire jusqu'à ce que le riz devienne transparent, puis ajouter les lentilles, le sel, le poivre et la cannelle. Couvrir avec le jus de cuisson. Laisser à feu doux jusqu'à absorption de l'eau. Mouiller éventuellement avec un peu de liquide de cuisson des lentilles pour poursuivre la cuisson. Mélanger les oignons et servir aussitôt.

BOULGHOUR AUX LENTILLES
IMJADRA

Pour 6 personnes

Comme le *Mudardara* (ci-dessus), cette spécialité libanaise figure au menu des pauvres. Elle se consomme moins dans les villes qu'à la campagne, où le boulghour constitue la denrée essentielle. Accompagnée d'un œuf frit ou poché, elle compose un repas consistant (les pois chiches peuvent remplacer les lentilles).

- ◆ *5 cuil. à soupe d'huile d'olive*
- ◆ *3 oignons, finement émincés*
- ◆ *175 g de lentilles vertes, lavées et triées*
- ◆ *175 g de boulghour moyen*
- ◆ *Sel et poivre fraîchement moulu*
- ◆ *Poivre de Cayenne*

Faire blondir les oignons pendant 8 à 10 minutes dans l'huile chaude, dans une poêle. Retirer un tiers des oignons avec une écumoire et réserver ; laisser dorer le reste, puis réserver.

Couvrir les lentilles d'eau, dans une cocotte, et faire cuire 25 minutes, jusqu'à ce qu'elles soient tendres (ajouter si nécessaire de l'eau pendant la cuisson, sans que la préparation prenne l'apparence d'une soupe). Incorporer le boulghour, la première partie des oignons, le sel, le poivre et le poivre de Cayenne. Mélanger, couvrir et laisser le boulghour absorber le reste de liquide pendant 10 à 12 minutes (en ajouter éventuellement). Incorporer le reste des oignons et servir aussitôt.

RIZ AUX PIGNONS DE PIN ET AUX RAISINS SECS
RIZ PILAF

Pour 4 personnes

Le riz pilaf est arrivé au Liban en provenance de l'est — l'Inde et l'Iran — et de la Turquie, au nord. Il réunit parfois ces diverses influences : pignons de pin ou pistaches, jus de tamarin ou safran, raisins de Corinthe ou de Smyrne. Dans cette recette simple, on le met dans un moule avant de le présenter pour accompagner de la volaille rôtie ou d'autres plats principaux.

- 90 ml d'huile d'olive
- 2 petits oignons, finement hachés
- 4 cuil. à soupe de pignons de pin
- 2 cuil. à soupe de raisins de Corinthe
- ½ cuil. à café de stigmates de safran
- 450 g de riz à long grain
- Sel et poivre fraîchement moulu
- Coriandre et persil frais
- Paprika en poudre

Laisser blondir les oignons pendant 6 à 8 minutes dans l'huile chaude, à feu moyen. Ajouter les pignons de pin et faire dorer le tout pendant quelques minutes. Incorporer les raisins de Corinthe, le safran, le riz, et poursuivre la cuisson pendant 1 minute sur le feu, pour que le riz devienne transparent.

Saler et couvrir d'eau (750 ml). Faire cuire à couvert, sur feu vif, jusqu'à ce que l'eau commence à réduire, puis éteindre le feu et laisser reposer 20 minutes ; l'eau doit être absorbée et le riz tendre. Mouiller si nécessaire avec un peu d'eau et laisser frémir encore quelques minutes. Laisser reposer ensuite 5 minutes de plus.

Mettre le riz dans un moule avant de le présenter sur une assiette décorée de persil et de coriandre. Saupoudrer de paprika.

POMMES DE TERRE AUX POIS CHICHES
BATATAS BI HOUMOUS

Pour 6 personnes

Ce mets populaire et consistant peut servir de plat principal. Pour composer une préparation végétarienne, ajouter 450 g d'épinards frais 5 minutes avant la fin de la cuisson.

- ◆ 120 ml d'huile d'olive
- ◆ 1 gros oignon, haché
- ◆ 350 ml de petites pommes de terre rouges, lavées et détaillées en morceaux
- ◆ 2 gousses d'ail, finement hachées
- ◆ 225 g de pois chiches cuits et égouttés
- ◆ 5 tomates moyennes, pelées, épépinées et concassées
- ◆ Poivre de Cayenne
- ◆ ½ cuil. à café de graines de coriandre
- ◆ Sel et poivre fraîchement moulu
- ◆ 50 g de persil frais finement ciselé

Faire dorer l'oignon dans l'huile d'olive, dans une cocotte. Ajouter les pommes de terre, l'ail, et remuer à feu doux pendant 3 à 4 minutes. Incorporer les pois chiches, les tomates, le poivre de Cayenne et les graines de coriandre.

Laisser frémir 20 minutes à couvert, jusqu'à ce que les pommes de terre soient tendres. Assaisonner et saupoudrer de persil avant de servir.

Ce plat peut également se consommer froid, après être resté toute la nuit dans le réfrigérateur.

POMMES DE TERRE RISSOLÉES
BATATAS HARRAS

Pour 4 à 6 personnes

Ces pommes de terre rissolées constituent la spécialité libanaise la plus épicée, les piments frais étant habituellement utilisés avec modération. Elles sont aussi fortement huilées et aillées.

- *120 ml d'huile d'olive*
- *675 g de pommes de terre, épluchées et détaillées en petits morceaux*
- *Sel et poivre fraîchement moulu*
- *3 gousses d'ail, écrasées*
- *2 piments forts, épépinés et hachés*
- *50 g de coriandre finement ciselée*

Faire rissoler les pommes de terre dans l'huile d'olive à feu moyen, puis assaisonner. Poursuivre la cuisson pendant 20 minutes, jusqu'à ce qu'elles soient tendres. Ajouter l'ail, les piments, et mélanger aux pommes de terre sur le feu. Saupoudrer de coriandre avant de servir.

FÈVES AUX HERBES
FOUL MEDAMES

Pour 4 à 6 personnes

Ces petites fèves, typiques de l'Égypte et des pays du Levant, se consomment avec un œuf sur le plat, au petit déjeuner, ou en *meze*, écrasées en purée avec de l'huile et du citron. Elles se préparent aussi comme dans cette recette, pour se servir en *meze* ou en plat d'accompagnement. Au Moyen-Orient, notamment en Égypte, certains restaurants sont spécialisés dans les plats à base de fèves.

- *350 g de foul medames (fèves), lavées, triées et ayant trempé 24 heures dans l'eau*
- *5 cuil. à soupe d'huile d'olive*
- *Le jus d'un citron*
- *3 gousses d'ail, écrasées*
- *Sel et poivre fraîchement moulu*
- *1 cuil. à café de cumin*
- *3 cuil. à soupe de coriandre fraîche, finement ciselée*
- *Huile d'olive et quartiers de citron (facultatif)*

Égoutter et rincer les fèves. Faire bouillir une grande casserole d'eau — à peine deux fois le volume des fèves — et plonger les fèves dedans. Couvrir, porter de nouveau à ébullition, puis laisser frémir 2 heures 30, jusqu'à ce que les fèves soient tendres. Écumer le liquide en début de cuisson. À la fin, il doit avoir réduit et épaissi. Renverser éventuellement dans une passoire pour jeter l'excédent de liquide.

Incorporer l'huile, le jus de citron, l'ail, le sel, le poivre, le cumin et la coriandre. Dresser dans un saladier et servir chaud, ou laisser refroidir et présenter avec de l'huile d'olive et des quartiers de citron.

BROCHETTES DE GOMBOS ET PATATES DOUCES

Pour 6 personnes

Cette recette moderne associe les légumes traditionnels du Liban — gombos et oignons — à une introduction récente, la patate douce. Le mode de cuisson, quant à lui, est ancestral.

- ◆ *24 petits gombos*
- ◆ *3 patates douces moyennes, épluchées et détaillées en 8 morceaux*
- ◆ *24 oignons au vinaigre*
- ◆ *120 ml d'huile d'olive*
- ◆ *1 cuil. à soupe de miel*
- ◆ *Sel et poivre fraîchement moulu*
- ◆ *½ cuil. à café de cumin en poudre*

Couper le pédoncule des gombos en veillant à ne pas percer l'intérieur.

Porter à ébullition une grande casserole d'eau. Faire bouillir les morceaux de patates douces pendant 5 minutes. Ajouter les oignons et laisser cuire 4 minutes. Incorporer ensuite les gombos et poursuivre la cuisson pendant 1 minute. Égoutter les légumes et les plonger dans l'eau froide. Laisser quelques minutes, avant d'égoutter à nouveau. Peler les oignons.

Enfiler les légumes en alternance sur 6 grosses brochettes, ou 12 petites. Mélanger dans un bol l'huile, le miel, le sel, le poivre et le cumin.

Arroser les brochettes avec cette préparation avant de les poser sur le barbecue chaud (ou sous le gril préchauffé de la cuisinière). Laisser cuire 8 à 10 minutes, jusqu'à ce que les légumes soient tendres, en retournant les brochettes une fois et en les arrosant de sauce. Servir aussitôt.

SAUCES, CONDIMENTS ET ASSAISONNEMENTS

TARATOUR WI MEKHALEL

SAUCE AUX PIGNONS DE PIN
TARATOUR BI SONOBA

Pour environ 450 ml

Les Libanais présentent cette sauce avec du poisson, mais les Occidentaux l'associent plutôt aux pâtes, au veau et à la volaille. Consommée généralement froide, elle peut aussi être intégrée à la cuisson du poisson ou de la viande.

- ◆ *1 gousse d'ail, écrasée*
- ◆ *Sel*
- ◆ *2 tranches de pain blanc, sans la croûte, et détaillées en cubes*
- ◆ *225 g de pignons de pin*
- ◆ *¹/₄ de cuil. à café de poivre de Cayenne*
- ◆ *Le jus de 2 citrons*

Écraser finement l'ail dans un bol avec une pincée de sel. Ajouter le pain, couvrir d'eau chaude et laisser tremper 10 minutes.

Pendant ce temps, hacher finement les pignons de pin dans un mixeur ou un robot équipé d'un couteau en métal. Incorporer ensuite le pain, débarrassé de son eau, l'ail et le poivre de Cayenne. Mixer un peu avant de verser le jus de citron progressivement, sans arrêter le moteur, jusqu'à l'obtention d'une sauce riche et crémeuse. Mouiller si nécessaire avec un peu d'eau. Servir aussitôt, ou couvrir et laisser au réfrigérateur.

La sauce se conserve 2 semaines au réfrigérateur, ou au congélateur.

SAUCE À LA PISTACHE
TARATOUR BI FOSTO

Pour environ 250 ml

Comme les autres sauces à base de graines, celle-ci se sert froide, mais elle peut accompagner des entrées chaudes, à base de poisson ou de pâtes, ou des plats froids — poisson, veau, volaille. Très riche, elle doit être consommée avec modération. Au Liban et dans d'autres pays arabes, on utilise un fromage salé, très sec, appelé *mesh*, qui peut être remplacé par du pecorino.

- ◆ *150 g de pistaches décortiquées et grillées*
- ◆ *1 gousse d'ail, écrasée*
- ◆ *2 cuil. à café de persil ciselé*
- ◆ *2 cuil. à soupe de jus de citron frais*
- ◆ *3 cuil. à soupe d'huile d'olive*
- ◆ *90 ml de yaourt grec*
- ◆ *25 g de pecorino râpé*

Hacher grossièrement les pistaches, l'ail et le persil dans un mixeur, ou un robot équipé d'un couteau en métal. Ajouter le jus de citron et mixer pour obtenir une consistance lisse. Verser lentement l'huile d'olive sans arrêter le moteur, 1 cuil. à soupe à chaque fois, jusqu'à ce que la sauce devienne homogène. Incorporer enfin le yaourt et le fromage, puis mixer. Verser la sauce dans un bol et servir aussitôt, ou mettre au réfrigérateur.

Cette sauce peut se garder 1 semaine au réfrigérateur, mais il est déconseillé de la congeler.

SAUCE FROIDE AUX AMANDES
NOUGADA

Pour environ 900 ml

Cette préparation sucrée et aillée rappelle le nougat, introduit par les Croisés en France, en Espagne et en Italie. Elle accompagne généralement le poisson froid, le poulet et la dinde.

- ◆ *275 g de poudre d'amandes*
- ◆ *Sel et poivre fraîchement moulu*
- ◆ *¹/₄ de cuil. à café de sucre en poudre*
- ◆ *2 gousses d'ail, écrasées*
- ◆ *Le jus de 2 citrons*
- ◆ *120 ml d'huile d'olive*
- ◆ *3 cuil. à soupe de persil finement ciselé*

Mélanger dans un saladier la poudre d'amandes, le sel, le poivre et le sucre. Incorporer soigneusement l'ail. Verser lentement le jus de citron et l'huile d'olive, jusqu'à obtention d'une sauce épaisse. (Cette opération peut s'effectuer avec un mixeur ou un robot, mais la préparation manquera de texture.)

Lorsque le mélange est homogène, ajouter le persil. Servir aussitôt ou couvrir et mettre au réfrigérateur. Cette sauce peut se conserver 2 semaines au réfrigérateur et se congeler.

SAUCE AU SÉSAME
TARATOUR BI TAHINI

Pour environ 450 ml

Cette sauce, la plus populaire au Liban, se sert chaude ou froide avec du poisson et des légumes. Sa saveur évoque celle de la sauce indonésienne, à base de cacahuètes, dénommée *gado-gado*.

- ◆ *2 gousses d'ail, écrasées*
- ◆ *¾ de cuil. à café de sel*
- ◆ *Une grosse pincée de poivre de Cayenne*
- ◆ *250 ml de* tahini
- ◆ *150 ml de jus de citron*

Écraser l'ail avec le sel et le poivre de Cayenne dans un saladier, jusqu'à l'obtention d'une pâte. Incorporer le *tahini* avec une fourchette, puis allonger la préparation avec le jus, en fouettant sans arrêt. Servir la sauce aussitôt ou couvrir et mettre au réfrigérateur.
Cette sauce se conserve 2 semaines au réfrigérateur, et peut se congeler.

SAUCE VINAIGRETTE

Pour environ 250 ml

Cette sauce peut être préparée dans une version franco-libanaise, avec de la moutarde et du vinaigre de vin (ou un mélange de vinaigre et de jus de citron), ou selon la tradition arabo-libanaise, en supprimant la moutarde et en utilisant seulement du jus de citron.

- ◆ ½ cuil. à café de moutarde (facultatif)
- ◆ 120 ml d'huile d'olive
- ◆ 3 cuil. à soupe de vinaigre de vin rouge ou de jus de
- ◆ citron, ou un mélange des deux
- ◆ Sel et poivre fraîchement moulu

Réunir la moutarde, le vinaigre — ou le jus de citron — et l'huile dans un bocal hermétique. Secouer vigoureusement pour obtenir une sauce homogène. Saler, poivrer et agiter de nouveau. Utiliser aussitôt, ou garder jusqu'à 2 semaines dans un endroit frais et sombre.

LÉGUMES AU VINAIGRE
KABBIS

Pour environ 450 g

La meilleure association de légumes se compose de choux-fleurs, de petits oignons, de concombres et de haricots verts. Lorsque l'on utilise certains légumes aux couleurs moins engageantes, comme des petites tomates vertes ou des navets, on les colore généralement avec du jus de betterave.

- ◆ 450 g de légumes variés : navets, aubergines, petits oignons, chou-fleur, concombre, petites tomates vertes, haricots verts
- ◆ 450 ml de vinaigre de vin blanc
- ◆ 250 ml d'eau (éventuellement, eau de cuisson de betteraves)
- ◆ 2 cuil. à soupe de sel

Sélectionner des petits navets, des aubergines, des concombres, des oignons et des tomates. Commencer par blanchir les légumes, les égoutter soigneusement, puis les détailler selon les indications suivantes.

Couper les navets, les aubergines et les concombres en quatre, les tomates en deux et laisser les oignons entiers. Sectionner les haricots verts en tronçons de 5 cm et séparer le chou-fleur en bouquets.

Répartir les légumes dans des bocaux munis de couvercles en plastique (éviter ceux en métal). Mélanger dans un récipient le vinaigre, l'eau et le sel. Remplir les bocaux de légumes presque jusqu'au bord, puis couvrir avec le liquide. Tapoter les bocaux à plusieurs reprises sur une surface dure pour chasser l'air. Poser du film alimentaire sur l'ouverture avant de fermer avec le couvercle.

Ces légumes se conservent 3 mois dans un endroit frais et sombre. Il est conseillé d'attendre 1 mois avant de les consommer.

VINAIGRETTE AU CUMIN ET AU CITRON

Pour environ 250 ml

Cette vinaigrette épicée change agréablement des versions classiques. Elle peut rehausser une salade de tomates, des légumes secs, ou encore des restes comme des pommes de terre froides, mélangées avec des oignons et du persil. C'est généralement de cette manière que les Libanais et les Syriens l'utilisent.

◆ *1 cuil. à soupe de sucre en poudre*
◆ *1 cuil. à café ¹/₂ de cumin en poudre*
◆ *120 ml d'huile d'olive*
◆ *Une grosse pincée de curcuma*
◆ *5 cuil. à soupe de jus de citron frais*

Réunir le sucre, le cumin, le curcuma et le jus de citron dans un bocal hermétique. Secouer pour dissoudre le sucre, puis verser l'huile et agiter de nouveau pour obtenir un mélange homogène. Utiliser aussitôt ou garder jusqu'à 2 semaines dans un endroit frais et sombre.

SAUCE AU YAOURT ET AU CONCOMBRE

Pour environ 475 ml

Cette sauce d'une simplicité enfantine s'apparente au *Kacik* turc (p. 59), souvent servi comme accompagnement du *Shawarma* (p. 14) ou de légumes farcis — aubergines et courgettes. Elle peut être rehaussée de menthe ou de coriandre, selon les goûts.

◆ *1 gousse d'ail, écrasée*
◆ *Sel et poivre fraîchement moulu*
◆ *250 ml de yaourt grec*
◆ *1 petit concombre, pelé,*
épépiné et râpé
◆ *2 cuil. à soupe de menthe ou de coriandre finement ciselées*

Écraser l'ail dans un bol avec 1 cuil. à café de sel. Incorporer le yaourt, le concombre et la menthe ou la coriandre. Rectifier l'assaisonnement, mélanger et servir aussitôt ou mettre au réfrigérateur.
Cette sauce se conserve 1 semaine au réfrigérateur, mais il est déconseillé de la congeler.

ASSAISONNEMENT À LA PISTACHE

Pour environ 250 ml

Cet assaisonnement léger est tout indiqué pour les salades vertes (voir Salade mélangée, p. 44) et les avocats.

- ◆ 4 cuil. à soupe de jus de citron frais
- ◆ 120 ml d'huile d'olive
- ◆ 1 cuil. à café de zeste de citron râpé
- ◆ 4 oignons nouveaux,

finement hachés
- ◆ 50 g de pistaches salées, décortiquées et écrasées
- ◆ Sel et poivre fraîchement moulu

Réunir l'huile d'olive et le jus de citron dans un saladier. Ajouter le zeste de citron, l'oignon, les pistaches, et assaisonner. Mélanger soigneusement, puis utiliser aussitôt ou mettre dans un bocal.

Cet assaisonnement se conserve 3 jours dans un endroit frais et sombre.

MAYONNAISE VERTE

Pour environ 450 ml

La mayonnaise n'appartient pas au répertoire culinaire libanais ; on lui préfère généralement le yaourt ou le *tahini*. Pourtant, elle a été introduite par les Occidentaux, notamment les Français, dans les restaurants internationaux. Souvent achetée toute prête, elle s'enrichit d'herbes, dans la tradition du Moyen-Orient.

- ◆ *350 ml de mayonnaise fait maison ou achetée toute prête*
- ◆ *75 g de coriandre finement ciselée*
- ◆ *75 g de persil plat finement ciselé*
- ◆ *4 cuil. à soupe d'aneth frais finement ciselé*
- ◆ *Une grosse pincée de poivre de Cayenne*
- ◆ *2 cuil. à soupe de jus de citron frais*

Réunir tous les ingrédients dans un mixeur, ou un robot équipé d'un couteau en métal. Mixer jusqu'à l'obtention d'une mayonnaise onctueuse et épaisse. Utiliser aussitôt, ou garder jusqu'à 3 jours au réfrigérateur.

CONDIMENT AU CITRON

Pour environ 450 ml

Ce chutney s'inspire de la cuisine d'Afrique du Nord, qui fait un large usage des citrons marinés. Les cuisiniers libanais de formation française ont remplacé la marinade par du vin blanc, créant un accompagnement parfait pour le poisson et la volaille.

- 10 gros citrons
- 2 cuil. à soupe d'huile de tournesol
- 2 petits oignons, finement hachés
- 250 ml de vin blanc sec
- 175 g de sucre en poudre
- ½ cuil. à café de poivre de Cayenne
- ½ cuil. à café de graines de cumin
- 1 cuil. à café ½ de poivre noir fraîchement moulu

Retirer le zeste des citrons avec un couteau économiseur, en prélevant le moins possible de peau blanche. Hacher finement et réserver.
Prendre 2 citrons, enlever la peau blanche et hacher grossièrement la chair. Jeter les pépins.
Faire blondir les oignons dans l'huile chaude pendant 10 minutes. Ajouter le zeste et la chair des citrons, le vin blanc, le sucre et les épices. Laisser 20 minutes à feu moyen à vif, jusqu'à l'obtention d'un mélange sirupeux.
Faire refroidir dans un saladier, puis mettre au réfrigérateur. Servir aussitôt ou couvrir et garder au réfrigérateur jusqu'à 2 semaines.

SAUCE À L'AIL
TARATOUR BI SAD

Pour environ 250 ml

Cette sauce se prête à toutes les interprétations possibles.
Elle sert d'accompagnement aux plats de volaille et d'agneau, mais elle relève aussi de sa saveur aillée nombre de mets auxquels elle s'intègre. Elle peut remplacer une partie du lait dans la purée de pommes de terre, et enrichit la ratatouille à merveille.

- 45 gousses d'ail, pelées et écrasées
- 150 ml d'huile d'olive
- Le jus d'un citron

Cette sauce se prépare traditionnellement à la main, en écrasant l'ail avec un mortier et un pilon, puis en incorporant l'huile d'olive et le jus de citron. De nos jours, elle se fabrique plus couramment avec un robot équipé d'un couteau en métal, ou avec un mixeur.
Mettre l'ail dans le robot et mixer pour hacher finement. Verser l'huile en filet sans arrêter le moteur, jusqu'à l'obtention d'une purée lisse, puis ajouter le jus de citron. Mixer et transvaser dans un saladier. Servir aussitôt.

Cette sauce se conserve 2 semaines ou davantage au réfrigérateur. Elle peut aussi se congeler.

SAUCE À LA MANDARINE

Pour environ 250 ml

Cet assaisonnement aigre-doux se marie parfaitement avec les salades au goût acidulé comme celle au pamplemousse et à l'avocat (p. 62), ou avec la volaille.

- ◆ *2 cuil. à soupe de miel*
- ◆ *1 cuil. à café de zeste de mandarine finement râpée*
- ◆ *3 cuil. à soupe d'huile de tournesol*
- ◆ *120 ml de jus de mandarine fraîchement pressé*
- ◆ *2 cuil. à soupe de jus de citron fraîchement pressé*

Réunir le miel et le zeste de mandarine dans un saladier, puis incorporer délicatement le jus de mandarine et de citron. Verser ensuite l'huile. Utiliser aussitôt ou mettre dans un bocal.

Cet assaisonnement se conserve jusqu'à 2 semaines dans un endroit frais et sombre.

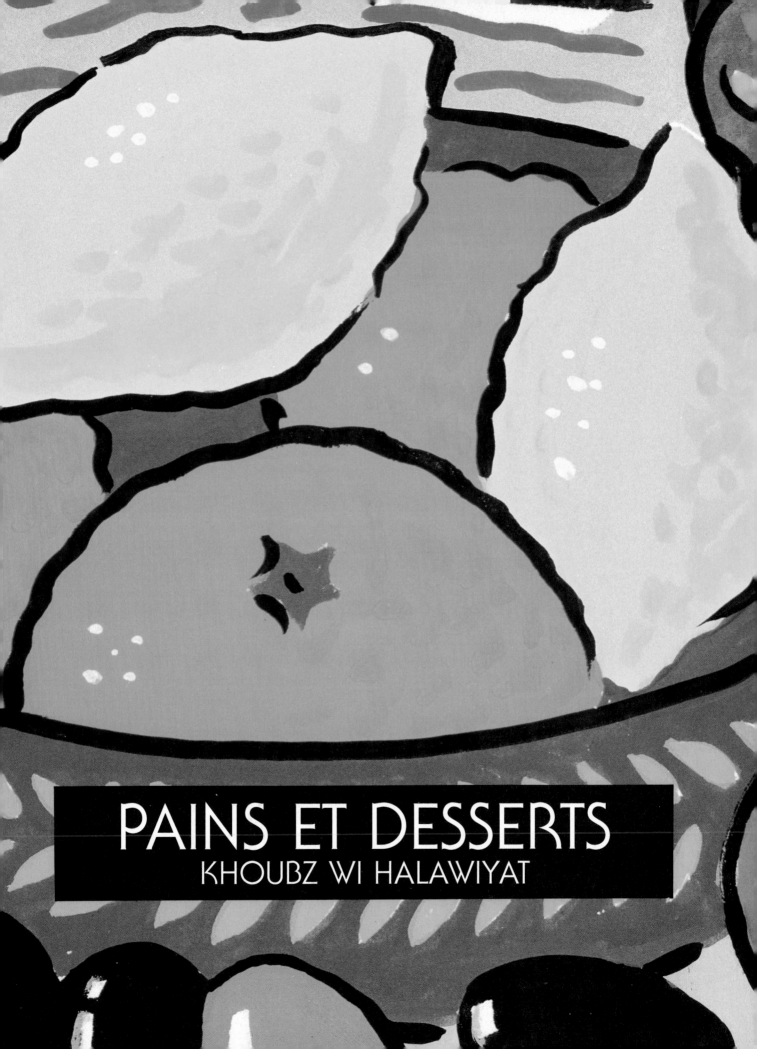

PAINS ET DESSERTS
KHOUBZ WI HALAWIYAT

PAIN LIBANAIS
KHOUBZ

Pour 8 pains ronds

Fabriqué dans les boulangeries des villages et les fours en terre des paysans, ce pain existe sous de nombreuses formes dans tous les pays arabes. Malgré la simplicité de la recette, le résultat est surprenant — un pain léger à la texture légèrement granuleuse. Il doit être consommé rapidement pour ne pas durcir, à moins d'être recouvert.

- ◆ *40 g de levure fraîche ou 2 paquets (12 g) de levure sèche*
- ◆ *900 g de farine à chapati ou de farine blanche*
- ◆ *1 cuil. à café ¹⁄₂ de sel*
- ◆ *60 ml d'huile d'olive*
- ◆ *Farine à chapati ou polenta*

Réunir dans un saladier la levure fraîche et 60 ml d'eau tiède. Laisser reposer 3 minutes, puis mélanger pour diluer entièrement la levure. Laisser encore 6 minutes dans un endroit chaud, jusqu'à ce que la préparation double de volume.
Mettre la farine dans un grand saladier chaud et saler. Creuser une fontaine au milieu pour incorporer la préparation à la levure. Verser l'huile et 475 ml d'eau tiède — cette dernière cuillerée par cuillerée. En ajouter un peu si nécessaire pour former une pâte ferme.

Pétrir la pâte sur un plan de travail fariné pendant 20 minutes, en l'aplatissant et en la pliant, jusqu'à ce qu'elle devienne élastique. Remettre dans le saladier, couvrir avec un torchon et laisser 2 heures dans un endroit chaud, jusqu'à qu'elle double de volume et forme des bulles. Poser sur le plan de travail et l'aplatir grossièrement avec le poing. Diviser la pâte en 8 portions et façonner sous forme de boules.
Saupoudrer le plan de travail de farine à *chapati* ou de polenta, puis étaler 4 pâtons sous forme de disques de 20 cm de diamètre. Poser sur une plaque de cuisson et couvrir d'un torchon. Procéder de même avec les 4 autres pâtons et une autre plaque. Laisser la pâte lever pendant une demi-heure. Préchauffer le four à 200 °C (thermostat 6).
Poser les deux plaques, l'une au-dessus de l'autre, en bas du four. Faire cuire pendant 5 minutes, puis déplacer les plaques au milieu du four, en posant celle du bas en haut. Poursuivre la cuisson pendant 4 à 5 minutes, jusqu'à ce que les pains soient dorés et levés. Sortir du four et servir aussitôt. Sinon, couvrir de papier aluminium et garder dans un endroit chaud ou dans le four, à chaleur faible, mais ils perdront rapidement leur texture.

PETITS PAINS AU SÉSAME
KAAK

Pour 12 petits pains

Au Liban, ces pains au sésame sont fabriqués par les boulangers ; dans d'autres pays ils se vendent dans la rue. Le *mahlab* (p. 16) apporte sa saveur caractéristique, typique des pains arabes. Coupé en morceaux, le *Kaak* peut remplacer la *pitta* ou le *khoubz* pour accompagner les sauces.

- *8 g de levure fraîche ou 1 paquet (6 g) de levure sèche*
- *1 cuil. à café de sucre en poudre*
- *225 g de farine blanche*
- *½ cuil. à café de sel*
- *1 cuil. à café de* mahlab *en poudre*
- *1 cuil. à soupe de* samné *ou de beurre fondu*
- *1 œuf, battu*
- *45 de graines de sésame*

Réunir dans un saladier 60 ml d'eau tiède, la levure et le sucre en poudre. Laisser reposer 3 minutes, puis mélanger. Laisser encore 6 minutes dans un endroit chaud.

Mettre la farine dans un grand saladier chaud, puis ajouter le sel et le *mahlab*. Creuser une fontaine au milieu pour verser la préparation à la levure.

Incorporer le *samné* ou le beurre et mouiller avec 5 à 6 cuil. à soupe d'eau ½ , cuillerée par cuillerée, jusqu'à l'obtention d'une pâte ferme.

Préchauffer le four à 150 °C (thermostat 2).

Pétrir la pâte pendant 10 minutes sur un plan de travail fariné, en l'aplatissant et en la pliant pour qu'elle devienne élastique. Mettre dans un saladier, couvrir avec un torchon et laisser 15 minutes dans un endroit chaud.

Aplatir la pâte avec le poing avant de la diviser en 12 portions. Rouler chaque pâton sur une surface farinée, en forme de longue « saucisse » de la grosseur d'un doigt. Façonner en cercle ou — variante moins authentique mais plus décorative — en forme de bretzel.

Poser les cercles sur une plaque de cuisson huilée, couvrir avec un torchon et laisser lever pendant 15 minutes. Badigeonner d'œuf battu et saupoudrer de graines de sésame. Faire cuire 30 à 35 minutes au four, jusqu'à ce que les pains soient dorés.

Laisser refroidir pendant 10 minutes sur une grille à pâtisserie avant de servir. Ces petits pains se congèlent parfaitement.

MACARONS AUX PIGNONS DE PIN

Pour environ 35 macarons

Ces biscuits ont été introduits au Liban par l'importante communauté italienne qui résidait auparavant à Beyrouth. Ils conjuguent avec succès les saveurs de Rome et celles du Moyen-Orient.

- *225 g de pâte d'amandes*
- *100 g de sucre en poudre*
- *¼ de cuil. à café d'essence de vanille ou de citron*
- *Une pincée de cannelle*
- *Une pincée de poivre de la Jamaïque*
- *2 blancs d'œufs*
- *4 cuil. à soupe de pignons de pin*
- *Sucre glace*

Mélanger la pâte d'amandes et le sucre en poudre avec un batteur électrique, jusqu'à obtention d'un mélange crémeux. Ajouter l'essence de vanille ou de citron et

les épices, puis les blancs d'œufs, un à un.

Préchauffer le four à 150 °C (thermostat 2).

Lorsque le mélange est homogène, déposer de petites cuillerées de pâte sur une plaque de cuisson recouverte de papier sulfurisé, en espaçant les monticules, et piquer les pignons de pin à la verticale.

Faire cuire 15 minutes, jusqu'à ce que les macarons soient dorés. Sortir la plaque du four, relever les bords du papier sulfurisé et verser un mince filet d'eau sous le papier pour détacher les macarons. Soulever avec une spatule et laisser refroidir complètement sur une grille à pâtisserie avant de servir.

Ces macarons se conservent une semaine dans un récipient hermétique.

PAIN PLAT ARMÉNIEN

Pour 2 pains ronds

L'importante communauté arménienne du Liban — s'étant établie dans ce pays pour fuir les massacres turcs dont ils faisaient l'objet — a apporté une large contribution à la cuisine de leur pays d'accueil. Il est ainsi posssible d'alterner entre ce pain plat et le pain libanais (khoubz) pour accompagner vos plats. Un pain convient à 4-6 personnes.

- ◆ 18 g de levure fraîche ou 1 paquet (6 g) de levure sèche
- ◆ 1 cuil. à café de sucre en poudre
- ◆ 350 g de farine
- ◆ 1 cuil. à café de sel
- ◆ 1 cuil. à café de samné ou de beurre ramolli
- ◆ 2 cuil. à soupe de yaourt
- ◆ 2 à 3 cuil. à soupe de graines de pavot

Mélanger dans un saladier la levure et 250 ml d'eau tiède. Laisser reposer 3 minutes, puis ajouter le sucre et laisser encore 10 à 12 minutes dans un endroit chaud, jusqu'à ce que la préparation bouillonne et double de volume.

Mettre la moitié de la farine dans un grand saladier chaud et saler. Creuser une fontaine au milieu pour y déposer le samné, puis incorporer peu à peu la préparation à la levure, jusqu'à l'obtention d'une pâte.

Pétrir la pâte pendant 10 minutes sur un plan de travail fariné, en l'aplatissant et en la pliant. Ajouter si nécessaire de la farine pour qu'elle devienne lisse et élastique. Mettre dans le saladier, couvrir avec un torchon et laisser lever 45 minutes dans un endroit chaud, jusqu'à ce qu'elle double de volume.

Préchauffer le four à 200 °C (thermostat 6). Aplatir grossièrement la pâte avec le poing et la diviser en deux portions. Façonner en boules, puis étaler chaque pâton en cercle de 40 cm de diamètre. Badigeonner les deux pains de yaourt allongé d'eau et saupoudrer de graines de pavot. Faire cuire 20 à 25 minutes au four, jusqu'à ce que les pains soient dorés et boursouflés.

Ces pains peuvent être congelés, puis réchauffés selon les besoins.

YAOURT AU MIEL, AUX AMANDES ET AUX PISTACHES

Pour 4 personnes

Ce dessert gagne à être préparé avec du yaourt préalablement égoutté — mais pas aussi longtemps que pour le labné.

- ◆ 750 ml de yaourt de brebis grec
- ◆ 50 g d'amandes entières mondées, grossièrement hachées
- ◆ 50 g de pistaches entières, coupées en deux
- ◆ 2 cuil. à soupe de miel
- ◆ 1 cuil. à café de cannelle en poudre
- ◆ 1 cuil. à café de noix de muscade ou de cardamome en poudre

Verser le yaourt dans une passoire doublée d'une mousseline humide ou d'un torchon fin, puis laisser égoutter 2 à 3 heures.

Préchauffer le four à 180 °C (thermostat 4).

Mélanger les amandes et les pistaches sur une plaque de cuisson et faire dorer pendant 8 à 10 minutes. Mettre dans un saladier, puis incorporer le miel et la cannelle.

Répartir le yaourt égoutté dans quatre bols de service et couvrir avec la préparation précédente. Saupoudrer de noix de muscade ou de cardamome avant de servir.

GÂTEAU DE SEMOULE AU CITRON
BASBOUSA

Pour un gâteau de 20 x 30 cm

Populaire de la Turquie à l'Égypte, ce gâteau parfumé au citron se consomme en dessert ou accompagne le thé. La recette traditionnelle est plus riche en *samné* que celle-ci.

- ◆ *225 g de sucre en poudre*
- ◆ *225 g de semoule*
- ◆ *½ cuil. à café de bicarbonate de soude*
- ◆ *350 ml de yaourt grec*
- ◆ *4 cuil. à soupe de **samné** ou de beurre fondu*

- ◆ *18 à 24 amandes entières*
- ◆ *Sirop*
- ◆ *225 g de sucre en poudre*
- ◆ *4 cuil. à soupe de jus de citron frais*
- ◆ *Quelques gouttes d'eau de rose*

Commencer par préparer le sirop. Réunir dans une casserole 350 ml d'eau, le sucre, le jus de citron, et laisser frémir en remuant jusqu'à dissolution du sucre. Faire bouillir ensuite la préparation jusqu'à ce qu'elle prenne la consistance du sirop de sucre de canne (108 °C). Laisser refroidir.

Préchauffer le four à 180 °C (thermostat 4).

Pour confectionner le gâteau, mélanger les trois premiers ingrédients secs. Incorporer le yaourt avec une cuillère en bois, puis le *samné* ou le beurre fondu. Verser l'appareil dans un moule bien graissé de 20 x 30 cm et faire cuire 15 minutes au four. Disposer les amandes sur le dessus, 3 ou 4 dans la largeur et 6 dans la longueur. Poursuivre la cuisson au four pendant 30 minutes, jusqu'à ce que le gâteau soit doré.

Laisser refroidir 10 minutes, puis découper en carrés ou en losanges. Verser lentement le sirop sur le gâteau, en le laissant s'imprégner mais pas trop. Servir à température ambiante.

Ce gâteau se conserve une semaine dans un récipient hermétique.

DATTES FOURRÉES
TAMAR BI LOHZ

Pour 12 dattes

Les fruits secs fourrés participent au sens de l'hospitalité arabe. On les offre aux invités tout en bavardant autour d'une tasse de café. Les anciennes recettes de garnitures sont souvent très sucrées, à base de sucre et de poudre d'amandes ou d'eau de fleur. Celle-ci, également valable pour des pruneaux, en remplaçant les amandes par des noix, est mieux adapté aux goûts contemporains.

- *12 grosses dattes*
- *100 g de fromage (*anari *ou ricotta)*
- *1 cuil. à café de sucre en poudre*
- *1 cuil. à café de zeste de citron finement râpé*
- *12 amandes entières*

Fendre délicatement les dattes, dénoyauter, puis élargir soigneusement l'ouverture. Réserver.

Mélanger dans un saladier le fromage, le sucre et le zeste de citron. Répartir la préparation dans les 12 dattes, en appuyant dessus et en refermant les dattes autour de la garniture. Enfoncer une amande sur le dessus, puis disposer de manière décorative sur une assiette de service.

GÂTEAUX AU MIEL

Pour environ 40 gâteaux

Ces sortes de biscuits réunissent trois ingrédients typiques du Proche-Orient : miel, cannelle et citron. La recette est une variante d'une spécialité juive ; dans les années 1970, la petite communauté juive jouait encore un rôle non négligeable à Beyrouth.

- *45 ml de* samné *ou d'huile d'olive*
- *225 g de sucre roux*
- *1 cuil. à soupe de clous de girofle en poudre*
- *1 cuil. à soupe de cannelle en poudre*
- *1 cuil. à café de zeste de citron râpé*
- *Le jus de 2 citrons*
- *120 ml de miel*
- *120 ml de lait*

- *575 g de farine*
- *2 cuil. à soupe de levure chimique*

Glaçage
- *450 ml d'eau*
- *250 ml de miel*
- *250 g de sucre en poudre*
- *1 cuil. à café de jus de citron frais*
- *100 g d'écorces mélangées*

Fouetter le *samné* ou l'huile et le sucre dans un saladier, avec un batteur électrique, pour obtenir un mélange crémeux. Ajouter les clous de girofle, la cannelle, le zeste et le jus de citron, et continuer de battre pendant 5 minutes jusqu'à obtention d'une préparation homogène. Mélanger le miel et le lait. Incorporer la farine et la levure chimique peu à peu, à vitesse lente. Continuer de mixer doucement pendant 10 à 15 minutes jusqu'à ce que la pâte devienne lisse.

Préchauffer le four à 180 °C (thermostat 4).

Prélever des morceaux de pâte et façonner en boulettes de la taille de prunes. Aplatir entre les mains avant de creuser une petite entaille au milieu. Poser sur des plaques de four graissées. Faire cuire 20 minutes au four, jusqu'à ce que les gâteaux soient dorés.

Juste avant la fin de la cuisson, faire chauffer l'eau pour y mélanger le miel et le sucre en poudre. Porter à ébullition et remuer jusqu'à dissolution du sucre. Baisser le feu, puis laisser frémir 5 minutes ; le sirop doit épaissir légèrement. Verser le jus de citron hors du feu.

Lorsque les gâteaux sont cuits, les plonger un par un dans le sirop pour les en enrober soigneusement. Poser les gâteaux sur une grille, parsemer d'écorces mélangées et laisser sécher. Les gâteaux se conservent dans un récipient hermétique, en séparant les couches avec du papier sulfurisé.

Dattes fourrées

CROISSANTS À LA PISTACHE ET À LA CANNELLE

Pour environ 48 croissants

La forme du croissant a toujours fait partie des traditions arabes. Ces pâtisseries ressemblant à nos croissants s'en démarquent par leurs saveurs typiques du Moyen-Orient.

◆ 18 g de levure fraîche ou 1 paquet (6 g) de levure sèche

◆ 2 cuil. à soupe de sucre en poudre

◆ 275 g de farine

◆ 250 ml de beurre fondu

◆ 2 œufs, battus

Garniture

◆ 1 cuil. à soupe de cannelle en poudre

◆ 100 g de sucre roux

◆ 50 g de pistaches finement écrasées

Mélanger la levure et 60 ml d'eau tiède dans un saladier. Laisser reposer 3 minutes, puis ajouter le sucre et laisser dissoudre pendant 5 minutes.

Mettre la farine dans un grand saladier, y creuser une fontaine puis incorporer la préparation à la levure, le beurre fondu et les œufs battus. Malaxer soigneusement avec les mains. Façonner en forme de boule, couvrir de film alimentaire et laisser au moins 4 heures au réfrigérateur, ou toute la nuit.

Préchauffer le four à 180 °C (thermostat 4).

Mélanger dans un bol la cannelle, le sucre roux et les pistaches. Poser la pâte sur une surface farinée et diviser en 6 boules égales.

Étaler une boule en cercle de 20 cm de diamètre. Déposer un sixième de la préparation à la cannelle sur une assiette. Poser la pâte sur cette préparation, couvrir avec une autre assiette et retourner le disque sur la deuxième assiette. Laisser tomber sur le disque la préparation restant sur l'assiette. Diviser le disque de pâte en 8 portions et enrouler chaque morceau, en commençant par l'extrémité large. Recourber les extrémités en forme de demi-lune. Laisser reposer 20 minutes avant d'enfourner.

Procéder de la même manière avec les autres boules de pâte et la préparation pistaches-cannelle. Faire cuire les croissants en plusieurs fois pendant 15 minutes sur des plaques graissées, jusqu'à ce qu'ils soient dorés.

Ces croissants peuvent être congelés, puis réchauffés.

FEUILLETÉS AUX NOIX
BAKLAVA

Pour un gâteau de 20 x 39 cm

Cette recette existe sous de nombreuses formes dans tout le Moyen-Orient. Nous sommes davantage familiarisés avec les variantes grecque et turque, à base de noix et de miel, que les Libanais remplacent par des pistaches, des noix de cajou et de l'eau de fleur d'oranger. Présentées sous forme de petits cigares, ces pâtisseries se dénomment *Asabiyé*.

- *450 g de feuilles de pâte filo*
- *225 g de samné ou de beurre fondu*
- *4 cuil. à soupe d'huile de tournesol*
- *400 g de pistaches ou de noix de cajou, décortiquées et finement hachées*
- *1 cuil. à soupe de sucre en poudre*
- *½ cuil. à café de cannelle en poudre*

Sirop
- *350 g de sucre en poudre*
- *1 cuil. à soupe de jus de citron frais*
- *1 cuil. à soupe d'eau de fleur d'oranger*

Pour préparer le sirop, réunir le sucre, le jus de citron et 175 ml d'eau dans une casserole, puis faire frémir à feu moyen jusqu'à dissolution du sucre. Porter à ébullition et laisser à feu vif pendant 5 minutes, jusqu'à ce que le sirop épaississe (108 °C). Verser hors du feu l'eau de fleur d'oranger et laisser refroidir avant de mettre au réfrigérateur.

Préchauffer le four à 180 °C (thermostat 4).

Sortir les feuilles de pâte filo du paquet et couvrir avec un torchon humide. Enduire généreusement de beurre le fond et les parois d'un moule de 20 x 30 cm, puis mélanger le reste de beurre avec l'huile de tournesol. Étaler deux feuilles de pâte et garnir soigneusement l'intérieur du moule avec la première. Badigeonner de mélange de beurre et d'huile avant de poser dessus la deuxième. Graisser cette feuille, puis replier les bords qui dépassent à l'intérieur du moule et graisser. Procéder de même avec deux autres feuilles de pâte. Continuer jusqu'à utilisation de la moitié des feuilles. Mélanger dans un bol les graines, le sucre et la cannelle. Éparpiller uniformément la préparation sur la pâte. Couvrir avec deux feuilles graissées et repliées. Poser dessus le reste de feuilles en procédant de la même manière, et enduire le dessus avec le reste de beurre et d'huile.

Tracer à la surface des losanges de 5 cm. Faire cuire au four 45 minutes à 160 °C (thermostat 3), puis 20 minutes à 200 °C (thermostat 6), jusqu'à ce que le dessus soit doré et croustillant.

Sortir le gâteau du four, verser autant de sirop qu'il peut en absorber, puis laisser refroidir. Servir à température ambiante ou laisser d'abord au réfrigérateur.

BISCUITS VARIÉS
MAM'OUL

Pour environ 30 biscuits

Ces sablés de forme ronde ou ovale présentent la même texture que les biscuits hollandais appelés *Spritz*. On les trouve dans toutes les pâtisseries du Moyen-Orient, décorés de pistaches écrasées.

- *175 g de beurre*
- *350 g de farine*
- *1 cuil. à soupe d'eau de rose*
- *2 cuil. à soupe de lait*
- *Sucre glace*
- *2 cuil. à soupe de pistaches finement écrasées ou broyées*

Garniture aux dattes
- *175 g de dattes confites hachées*

Garniture aux graines
- *100 g de noix ou de pistaches*
- *Sucre glace*

Pour préparer la garniture aux dattes, verser 120 ml d'eau sur les dattes hachées, et remuer à feu doux jusqu'à absorption de l'eau. Réserver.

Mettre le beurre en petits morceaux dans la farine et mélanger du bout des doigts ; verser l'eau de rose et un peu de lait pour lier la pâte. Continuer de travailler jusqu'à l'obtention d'une pâte élastique. Diviser en 30 petites boules, puis en deux ensembles de 15 boules chacun.

Aplatir légèrement une boule et rouler l'index au centre pour former une cavité. Remplir délicatement avec un peu de préparation, puis façonner la pâte autour, en forme de rond ou d'ovale. Procéder de même avec les 14 autres morceaux de pâte.

Aplatir et remplir les 15 autres boules de pâte de la même manière, mais en garnissant avec les pistaches ou les noix mélangées à une pincée de sucre.

Préchauffer le four à 160 °C (thermostat 3).

Poser les biscuits sur une plaque de cuisson et strier la surface avec une fourchette. Faire cuire 20 à 25 minutes au four, sans laisser dorer. Laisser refroidir et durcir hors du four avant de les rouler dans le sucre glace. Saupoudrer une pincée de pistaches écrasées sur les *mam'oul*.

Ces biscuits se conservent 1 semaine dans un récipient hermétique.

GLACE À LA CANNELLE

Pour environ 750 ml

Contrairement au sorbet, la glace n'est pas une spécialité arabe, ni libanaise. Mais elle s'est intégrée dans les traditions, comme partout ailleurs dans le monde. Cette glace à la cannelle s'associe parfaitement à une salade de fruits ou au *Basbousa* (p. 117).

- *600 ml de crème fraîche*
- *2 blancs d'œufs*
- *2 cuil. à café de cannelle en poudre*
- *175 g de sucre en poudre*

Verser la crème fraîche dans un grand saladier et mouiller avec 2 cuil. à soupe d'eau froide. Laisser 1 heure dans le réfrigérateur avec les fouets métalliques d'un batteur électrique.

Battre ensuite la crème jusqu'à ce qu'elle triple de volume. Fouetter les blancs d'œufs en neige ferme dans un autre saladier. Incorporer délicatement la cannelle et le sucre dans la crème, puis les blancs d'œufs. Verser la préparation dans un récipient en plastique et laisser 4 heures au congélateur. Transvaser dans un robot équipé d'un couteau en métal, et mixer jusqu'à ce que la glace devienne onctueuse. Remettre dans le récipient en plastique et laisser au moins 6 heures au congélateur, ou toute la nuit.

PAIN PERDU LIBANAIS
OSMALIYÉ

Pour 6 personnes

Ce dessert arabe se prépare avec de la pâte filo, du pain ou des biscuits sucrés.

- *Huile pour la friture*
- *6 à 7 pains ronds individuels* (khoubz *ou* pitta)*, détaillés en lanières*
- *100 g de gros raisins secs*
- *100 g d'amandes et de pistaches mélangées*
- *75 g d'abricots secs, hachés*
- *100 g de sucre en poudre*
- *1 l de lait*
- *300 ml de crème fraîche*
- *1 cuil. à café 1/2 de cannelle en poudre*

Faire chauffer l'huile à feu vif et vérifier la température avec un morceau de pain. S'il devient doré, faire frire le reste en plusieurs fois, puis égoutter sur du papier absorbant. Étaler deux tiers du pain au fond d'un plat à four, en faisant se chevaucher les morceaux. Saupoudrer uniformément de raisins secs, d'amandes, de pistaches et d'abricots. Couvrir avec le reste de pain, grossièrement écrasé.

Préchauffer le four à 200 °C (thermostat 6).

Mélanger dans une casserole le lait, la crème et trois quarts du sucre. Porter à ébullition, puis retirer du feu et verser sur le contenu du plat.

Mélanger le reste de sucre et la cannelle, puis saupoudrer sur la préparation. Faire cuire 20 minutes au four, jusqu'à ce que le dessus soit doré. Servir aussitôt.

GÂTEAU À L'ORANGE ET À LA PISTACHE

Pour un gâteau de 23 cm

Inventé par un chef cuisinier de Beyrouth formé en France, ce gâteau libanais révèle son origine européenne par l'emploi de liqueur dans le sirop.

- 3 gros œufs
- 60 g de sucre en poudre
- ½ cuil. à café d'extrait de vanille ou de citron
- 1 cuil. à café ½ de zeste d'orange finement râpé
- 1 pincée de cannelle
- 225 g de pistaches décortiquées, finement hachées
- 25 g de miettes de Kaak moulu ou de pain

Sirop
- 100 g de sucre en poudre
- 2 cuil. à soupe de jus d'orange frais
- 2 à 3 kumquats, finement émincés
- 2 cuil. à soupe de Cointreau ou de Grand-Marnier

Commencer par préparer le sirop. Réunir dans une casserole le sucre, le jus d'orange, les kumquats et 250 ml d'eau. Faire frémir à feu moyen jusqu'à dissolution du sucre, puis porter à ébullition et laisser sur le feu jusqu'à ce que le sirop épaississe (110 °C). Verser la liqueur d'orange hors du feu, puis laisser refroidir. Préchauffer le four à 180 °C (thermostat 4).

Pour confectionner le gâteau, fouetter dans un saladier les jaunes d'œufs, le sucre et la vanille avec un batteur électrique, jusqu'à ce que le mélange devienne jaune clair. Ajouter le zeste râpé et la cannelle. Battre les blancs d'œufs en neige ferme dans un autre saladier. Mélanger dans un troisième les pistaches et les miettes de Kaak. Incorporer un tiers des blancs dans la préparation aux jaunes d'œufs, puis le reste des blancs, en alternant avec la préparation aux pistaches. Mélanger délicatement.

Verser l'appareil dans un moule carré de 23 cm de côté, bien graissé, et faire cuire 25 minutes au four, jusqu'à ce que le dessus soit doré. Sortir du four et laisser refroidir pendant 10 minutes, puis découper en carrés ou en losanges, et arroser de sirop de kumquat. Servir à température ambiante.

Ce gâteau se conserve 2 jours dans un récipient hermétique.

SORBET À L'ORANGE
CHARBAT BI BORTUAN

Pour environ 1,25 l

Le charbat est un sirop parfumé et très sucré que les Arabes diluent et consomment plutôt comme boisson qu'en dessert. Il se vend dans la rue et se prépare à la maison. L'ajout de blanc d'œuf pour alléger la glace est un raffinement des sultans apporté au sorbet, dont l'invention revient aux empereurs mogols.

- 8 oranges juteuses
- 225 g de sucre en poudre
- 2 à 3 cuil. à soupe de jus de citron frais
- 1 à 1 cuil. à café ½ d'eau de fleur d'oranger
- 1 gros blanc d'œuf
- Menthe fraîche

Prélever le zeste de 2 oranges, en prenant le moins possible de peau blanche. Mixer le zeste et le sucre dans un robot équipé d'un couteau en métal, jusqu'à obtention d'une bouillie homogène. Mettre dans une casserole et verser 120 ml d'eau. Mélanger à feu vif et porter à ébullition, puis baisser le feu et faire frémir 5 minutes. Laisser refroidir avant de mettre au réfrigérateur.

Presser les oranges et verser 1 l de jus dans un grand saladier. Ajouter le sirop, 2 cuil. à soupe de jus de citron, 1 cuil. à café d'eau de fleur d'oranger et le blanc d'œuf. Mélanger délicatement.

Verser la préparation dans un bac à glace et laisser 5 heures dans le congélateur. Transvaser ensuite dans le robot, goûter et ajouter si nécessaire un peu de jus de citron ou d'eau de fleur d'oranger. Mélanger pour casser les cristaux de glace. Remettre dans le bac à glace et laisser toute la nuit au congélateur. Servir dans des bols individuels, décoré de menthe fraîche.

GÂTEAU AU YAOURT ET À L'ORANGE

Pour 6 personnes

Encore une recette « moderne », d'une extrême sim-plicité, dans laquelle les saveurs et les conceptions du Levant ancien se marient aux préoccupations dié-tétiques du nouveau.

- ◆ 3 gros œufs, jaunes et blancs séparés
- ◆ 120 ml de lait
- ◆ 250 ml de yaourt grec
- ◆ ½ cuil. à café de zeste d'orange râpé
- ◆ 4 cuil. à café de jus d'orange frais
- ◆ 225 g de sucre en poudre
- ◆ 25 g de farine
- ◆ 1 cuil. à café d'essence de vanille
- ◆ Yaourt aux fruits (facultatif)

Préchauffer le four à 180 °C (thermostat 4).

Fouetter les jaunes d'œufs avec un batteur électrique, pour obtenir une préparation claire et épaisse. Incorporer le lait et le yaourt, le zeste et le jus d'oran-ge, puis 175 g de sucre en poudre, la farine et la vanille, jusqu'à ce que le mélange devienne lisse.

Battre les blancs d'œufs à vitesse moyenne jusqu'à l'ob-tention d'un mélange mousseux. Ajouter le reste de sucre et augmenter la vitesse pour battre en neige ferme. Incorporer délicatement la préparation aux jaunes d'œufs dans les blancs et mélanger intimement. Verser la préparation dans un moule carré de 23 cm de côté. Poser le moule dans un récipient plus grand et verser de l'eau bouillante à mi-hauteur des parois du moule. Faire cuire le gâteau au four pendant 30 minutes, jus-qu'à ce qu'il soit doré. Servir éventuellement avec du yaourt aux fruits.

INDEX